SINTAXIS

para alérgicos a la sintaxis

Con más de 300 análisis en bandeja

Alfonso Ruiz de Aguirre

2016

2ª edición

1	La oración simple	3
1.1	Sintagma nominal (SN)	4
1.2	Sintagma adjetival (SAdj)	6
1.3	Sintagma adverbial (SAdv)	6
1.4	Sintagma preposicional (SP)	7
1.5	Cómo buscar el sujeto	7
1.6	Sintagma predicado verbal (SPV o SV-SPV)	8
1.7	Sintagma predicado nominal (SPN)	15
1.8	Usos especiales de los PP átonos *me, te, se, nos, os*	17
1.8.1	*Se* impersonal	18
1.8.2	*Se* de pasiva refleja	18
1.8.3	Pronombre reflexivo: *me, te, se, nos, os*	19
1.8.4	Pronombre recíproco: *nos, os, se*	20
1.8.5	*Se* sustituto de *le*	20
1.8.6	Dativo Ético: *me, te, se, nos, os, le, les*	20
1.8.7	Voz media: *me, te, se, nos, os*	21
1.8.8	Pronominal: *me, te, se, nos, os*	22
2	Oraciones compuestas	28
2.1	Proposición	28
2.2	Yuxtapuestas	28
2.3	Coordinadas	29
2.4	Subordinadas	30
2.4.1	Proposiciones subordinadas adjetivas (PSAdj)	31
2.4.2	Proposiciones subordinadas sustantivas (PSS)	35
2.4.3	Proposiciones subordinadas adverbiales (PSAdv)	42
2.5	Oraciones con más de dos proposiciones	50
3	Complementos oracionales	54

El responsable

Alfonso Ruiz de Aguirre (Toledo, 1968) es licenciado en Filología Hispánica por la Universidad Complutense de Madrid y doctor en Lingüística Hispánica por la Universidad de Zaragoza.

Hasta la fecha ha publicado nueve novelas (*El Baño de la Cava, Olivera de Bernuy, El árbol de la vida, El difamador, Arde Troya, Mañana te salvo yo…*), un libro de relatos (*Arrabal sin tango*), dos biografías (*Isabel no se rinde* y *Lobo en el purgatorio*), una edición crítica de una obra de Felipe Trigo, dos libros de historia militar y una gran cantidad de cuentos. Entre otros, ha ganado el Premio de Novela Felipe Trigo, el Fundación Gaceta de Salamanca y el Diputación de Guadalajara de Narrativa, y ha sido finalista del Río Manzanares y del Ateneo de Sevilla.

Ha participado como ponente en distintos congresos y publicado artículos de investigación en prestigiosas revistas especializadas. Su tesis, *Simbolismo paradójico carnavalesco en la narrativa de Luis Landero*, ha sido la base para el ensayo *Luis Landero: símbolo, paradoja y carnaval*, publicado en la editorial Pliegos.

Da clase en Educación Secundaria desde 1991, con un paréntesis en la Universidad de Virginia Occidental, así que cuando se publique este libro llevará 25 años enseñando sintaxis, y hasta ahora ha sobrevivido, aunque en ocasiones ve muertos (sintácticos). Para esos muertos, que están tan vivos, y para sus profesores ha escrito *Sintaxis para alérgicos a la sintaxis*.

1 La oración simple

Una oración simple es un conjunto de palabras que se organizan en torno a un predicado y un predicado un conjunto de palabras que se organizan en torno a un verbo.

Mis primos llegarán el sábado es una oración simple, porque tiene un solo verbo, *llegarán*, que hace de núcleo del predicado, *llegarán el sábado*. Un verbo tiene un sujeto con el que concuerda en número, salvo que sea impersonal. En esta oración el sujeto es *mis primos*, porque concuerda con el verbo, es decir, porque ambos tienen que ir en el mismo número y persona: no puedo decir *mis primos llegará*, ni *mi primo llegaréis*, ni *mi primo llegarán*.

En *Había tres personas fuera* hay un verbo, *había*, pero no hay sujeto, porque es impersonal: el verbo no puede ponerse en plural y por tanto no concuerda con ningún sintagma nominal. No te agobies si no lo entiendes aún, porque luego lo vamos a explicar de nuevo más despacio.

Una oración es como una caja que contiene otras cajas más pequeñas a las que llamamos sintagmas, que también pueden contener otros sintagmas menores. Un sintagma es un grupo de palabras que se organizan en torno a un núcleo.

Cuando digo *la hija de la prima de la vecina del quinto, que vive en Torremolinos*, uso muchas palabras pero todos comprendemos que estoy hablando de una chica y que esa chica, ante todo, es hija de alguien. El sentido común me dice que la palabra más importante, el núcleo de esta expresión, es *hija*. Esta palabra con todas las que la ayudan a significar y a desempeñar una función, forman un sintagma. Como *hija* es un nombre, se trata de un sintagma nominal (SN).

En *Vive muy cerca de la casa del abuelo Tomás* todas las palabras significan, y su significado es importante, porque si quitamos una ya no transmitiríamos la misma idea, pero está claro que lo que decimos es que *vive cerca*. Así que *muy cerca de la casa del abuelo Tomás* forma un sintagma, que en este caso me sirve para saber dónde vive. *Cerca* es la palabra más importante y las otras sirven para explicarme cómo de *cerca* vive. Como la palabra más importante del sintagma es *cerca*, que es un adverbio, se trata de un sintagma adverbial (SAdv).

Antes de empezar con sintaxis, debes asegurarte de que sabes distinguir las palabras según su categoría: nombre, determinante, adjetivo, verbo y pronombre (variables); adverbio, preposición, conjunción, interjección (invariables). Hay otros dos conceptos de morfología que debes tener en cuenta.

Una **locución** es un grupo de palabras que han perdido su significado original y funcionan ya como si fueran una sola palabra, así que no se analizan por dentro.

Hay que averiguar a qué clase de palabra sustituyen, porque así sabemos qué tipo de sintagma forman. *Por si las moscas*, *de repente* o *a la chita callando* equivalen a un adverbio y son locuciones adverbiales; *a pesar de* funciona como una preposición; *a pesar de que* funciona como una conjunción; cuando hablamos del *más allá* tenemos una locución nominal; *tener en cuenta* es una locución verbal…

Para que haya una locución las palabras han tenido que perder su significado, no basta con que puedan ser sustituidas por una sola palabra: *dar un grito* es lo mismo que *gritar* pero no forma una locución.

Sustituir la locución sirve para saber de qué tipo es.

Distinguir las **perífrasis verbales** es fundamental para analizar bien. En una perífrasis tenemos dos verbos que trabajan juntos y funcionan como uno solo: el primero no aporta significado (no lo tiene o lo ha perdido), sino información gramatical; el segundo va en forma no personal y aporta el significado léxico.

En *vamos a comer* tenemos perífrasis si queremos decir que tenemos intención de comer pero no estamos yendo a ninguna parte; sin embargo, si el verbo *ir* tiene significado, se trata de una oración compuesta, con un verbo principal y una PSAdv Final.

En *puedo comer* hay perífrasis, porque el verbo *poder* carece de significado en sí mismo, ya que *puedo una cosa, puedo un libro, puedo que tú llegues* o *puedo un café* no son construcciones posibles; sin embargo, en *quiero comer* tenemos dos verbos, ya que *quiero una cosa, quiero un libro, quiero que tú llegues* o *quiero un café* es correcto.

Verbos como *puedes, hay que* o *deben* forman perífrasis con el infinitivo que los sigue. También forman perífrasis *tiene que comer, viene a costar, está a punto de decir, está diciendo, se echó a reír, acaba de llegar* o *suele disfrutar*.

Puesto que la sintaxis es cruel, pero no tanto, el número de sintagmas no es infinito: sólo tenemos sintagma nominal, adjetival, adverbial, preposicional y predicado.

1.1 *Sintagma nominal (SN)*

Consta de un núcleo (N), que tiene que ser un nombre, un pronombre o cualquier palabra sustantivada, y de hasta cuatro complementos distintos:

SN	*N (núcleo)*
	Det (determinante)
	SAdj (sintagma adjetival) complemento del nombre (CN)
	SP (sintagma preposicional) complemento del nombre (CN)
	SN en aposición (Apos)

En un sintagma lo único obligatorio es el núcleo. Los demás elementos pueden aparecer o no.

Es muy importante que dentro de un sintagma sólo busques los complementos y las estructuras que éste puede llevar. Un error habitual es señalar en un SN un adverbio o un complemento circunstancial, pero si miras con atención verás que estos elementos no están en la lista, así que no los buscamos.

Un SN puede no llevar **determinante** (*Antonio*), puede llevar uno (*el libro*), dos (*el último libro*) o incluso más (*aquel tercer intento tuyo*).

Debemos recordar que el posesivo pospuesto (detrás del nombre) sigue siendo determinante aunque adopte la forma que normalmente tiene el pronombre (*la suerte tuya, el viernes primero*).

Decimos que un SAdj, y no sólo un adjetivo, complementa a un nombre, porque puede tener los complementos que le son propios y que estudiaremos luego:

Es muy habitual que aparezcan varios **SP** juntos. Antes de analizarlos es preciso preguntarse a qué núcleo complementa cada uno.

Aunque la preposición más habitual del CN es *de* (*el pelo de Luis*, *el ordenador de la sala*), también pueden aparecer otras (*una sopa con mucho caldo*, *un hombre sin principios*, *una victoria por coraje*, *comida para perros*).

En *la presencia en el equipo de tres delanteros*, ¿a quién complementa *de tres delanteros*, a *presencia* o a *equipo*? Para solucionarlo, debes plantearte si hablamos de la *presencia de tres delanteros* o del *equipo de tres delanteros*. Aquí complementa a *presencia*. Sin embargo, en *la presencia de tres jugadores de buenas condiciones técnicas*, ¿hablamos de *presencia de buenas condiciones técnicas* o de *jugadores de buenas condiciones técnicas*? Lo segundo.

El SN en **aposición** es fácil de identificar, porque tiene como núcleo un nombre o un pronombre y no hay una preposición delante del sintagma.

A veces va entre comas (explicativo) y a veces no (especificativo).

Cuando aparecen dos nombres en el mismo sintagma, sin preposición que los separe, el primero es el núcleo y el segundo va en aposición.

Vamos con algunos ejemplos de SN que pueden parecer complicados:

1.2 Sintagma adjetival (SAdj)

Consta de un núcleo (N), que debe ser un adjetivo, y de dos posibles complementos.

SAdj	N (núcleo)
	SAdv CAdj (sintagma adverbial complemento del adjetivo)
	SP CAdj (sintagma preposicional complemento del adjetivo)

Evidentemente, cualquier sintagma que complemente a un adjetivo es complemento del adjetivo, así que debes estar muy atento para no introducir otros complementos, como circunstanciales.

En algunas gramáticas distinguen entre modificadores (los sintagmas adverbiales) y complementos (los sintagmas preposicionales) del adjetivo: yo prefiero estudiarlos todos como complementos del adjetivo, para simplificar.

Es muy importante que antes de poner función a un complemento te asegures de a qué complementa y cuál es por tanto su núcleo. Si encuentras *Estoy contento de tu éxito*, *de tu éxito* complementa a *contento* y no a *estoy*. Por tanto, es un CAdj, y no un complemento verbal. Si encuentras *Bebía contenta del río*, *del río* no te dice de qué estaba contenta, sino de dónde bebía, así que complementa al verbo, y es, por tanto, CCL y no CAdj.

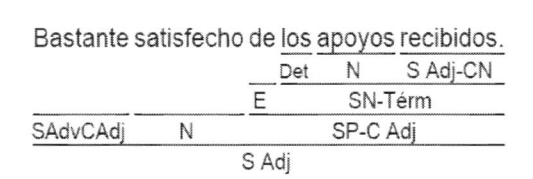

Bastante satisfecho de los apoyos recibidos.

Muy razonablemente contento de tu enorme éxito.

Muy acertadamente decididos a una demostración de fuerza ante el ejército invasor.

1.3 Sintagma adverbial (SAdv)

Consta de un núcleo adverbial (N) y de dos posibles complementos, los mismos que podía llevar el SAdj. Ya tenemos dos de las funciones del adverbio: complementar al adjetivo y a otro adverbio; nos falta la tercera, como complemento circunstancial del verbo.

SAdv	N
	SAdv CAdv
	SP CAdv

Mucho más tarde.

Bastante cerca de tu casa.

Muy lejos de sus verdaderas posibilidades.

1.4 Sintagma preposicional (SP)

En este sintagma el nombre no lo da el núcleo. Una preposición funciona como enlace e introduce un régimen. Ese régimen puede ser un SN, un SAdv o un SAdj, de modo que la estructura del SP puede ser **E + SN**, **E + SAdv** y **E + SAdj**.

Recuerda que además de las preposiciones propias, que te sabes de memoria y vienen en cualquier libro, existen grupos de palabras (locuciones) que funcionan como una preposición: *a pesar de, a fuerza de, a falta de...*

```
Cerca de aquí.
      E    S Adv
           Térm
  N      SP-C Adv
        S Adv
```

```
A pesar de su preocupante falta de concentración, ganaron.
                                   E     SN-Térm
           Det   S Adj-CN      N         SP-CN
     E                    SN-Térm
                  SP-CC Conces                         NP
                      SV-SPV
              O. Simple SO: Ellos
```

1.5 Cómo buscar el sujeto

El error más grave al analizar una proposición consiste en comenzar a poner funciones o estructuras sin haber localizado el sujeto.

Cuando estamos ante una oración simple, lo primero que hacemos es subrayar el verbo. A continuación, buscamos el sujeto. No se busca el sujeto haciendo ninguna pregunta. Tampoco averiguando quién realiza la acción. El único modo de hallar el sujeto sin equivocarse consiste en hacer pruebas de **concordancia**.

¿Cómo se hacen? Primero localizamos todos los SN que aparezcan en la oración en el mismo número que el verbo (si el verbo está en plural, sólo los que estén en plural; lo mismo para el singular). A continuación cogemos uno y lo cambiamos de número. Si al hacerlo la frase pierde sentido, es el sujeto. Si no, pasamos al siguiente y hacemos lo mismo. Si no lo encontramos escrito, buscamos un posible sujeto omitido.

El sujeto, omitido o presente, debe tener la misma persona y número que el verbo: si el verbo es *tiene*, debe ser *ella, él, ello* o *usted*, es decir, una tercera persona del singular. Los pronombres personales (PP) que pueden hacer de sujeto son *yo, tú, él, ello, ella, nosotros, nosotras, vosotros, vosotras, ellos, ellas, usted, ustedes*, pero nunca *me* o *a mí*. Por supuesto, también puede hacer de sujeto otro tipo de pronombre.

Ante la oración *Me gustan las manzanas* es habitual que los alumnos respondáis que el sujeto es *me* o *a mí*, o que está omitido. El primero no puede ser sujeto porque es un pronombre átono, que puede hacer de CD, de CI, o emplearse en los usos especiales de los que después hablaremos, y está en singular. El segundo no puede ser sujeto porque lleva delante una preposición *a*, no es uno de los PP que hacen de sujeto y además está en singular. Para analizar la oración, puesto que el verbo está en tercera persona del plural, buscamos SN en plural que puedan actuar como tercera persona. Tenemos *las manzanas*. Lo ponemos en singular. Queda *Me gustan la manzana*. ¿Es correcta? No. Eso significa que es necesario que *las manzanas* concuerde con *gustan*, así que es el sujeto.

En *Me asustó la tormenta* no podría decir *Me asustó las tormentas* ni *Me asustaron la tormenta*. El verbo y ese SN tienen que concordar en número. Así que *la tormenta* es el sujeto.

En *Vienen de visita los viernes* tenemos un SN en plural que aparece escrito. Probamos si es el sujeto cambiándolo de número. Como podemos decir *Vienen de visita el viernes*, no es sujeto. Ahora probamos si el sujeto está omitido. Buscamos un sujeto en tercera persona del plural: *Ellas vienen de visita el viernes* es correcto, pero no *Ella vienen de visita el viernes*. Así que *ellas* o *ellos* o *ustedes* es el sujeto, que está omitido (SO). A veces el sujeto va en medio del SPV:

No sabe nadie la respuesta.	Les encanta la piscina a los niños.	Tomaron los montañeros un camino equivocado.
S Adv CC neg — NP — Det N	SN Cl — NP — SP-CI dupl	— Det N — S Adj-CN
— — SN-CD	— — —	NP Det N SN-CD
SV-SPV SN-Suj SV-SPV	SV-SPV SN-Suj SV-SPV	SV-SPV SN-Suj SV-SPV
O. Simple	O. Simple	O. Simple

En *Es un día precioso* algunos alumnos dicen que el SNS es *un día* y el Atrib *precioso*, pero no es así. El sujeto está omitido, y es una tercera persona del singular: *éste*, por ejemplo. *Un día precioso* es el atributo.

En *Hay una persona en la calle* es habitual que digáis que el sujeto es *una persona*. Pero podemos decir *Hay personas en la calle* sin que varíe el verbo y no hay un sujeto omitido, porque no es correcto *Él/Ella/Ello hay una persona en la calle*: esta oración es impersonal.

1.6 Sintagma predicado verbal (SPV o SV-SPV)

Una vez localizado el sujeto, es imprescindible mirar qué tipo de verbo tenemos. Si es un verbo *ser*, *estar* o *parecer* y lleva atributo (el atributo nos da una cualidad definitiva o provisional del sujeto: nos dice qué es, cómo es, de quién es, qué parece, cómo parece, cómo está…), entonces tenemos predicado nominal. Luego explicaremos cómo funciona este predicado. En caso contrario, tenemos predicado verbal.

También existen verbos semicopulativos, como *volverse*, *ponerse* o *resultar*. Algunos profesores llaman a su complemento atributo. Yo lo llamo PVO. También es semicopulativo *andar* en *Ando cansado*, si el verbo ya no significa *caminar*, sino *estar*. Estos verbos exigen el PVO y no permiten que lo sustituyamos por *lo*.

Cuando sepamos si el predicado es verbal o nominal, sólo tenemos que aplicar el esquema que corresponde. El SPV tiene como núcleo un verbo predicativo y seis posibles complementos.

En los otros sintagmas no hace falta poner un nombre especial a los complementos, basta con denominarlos CN, CAdj o CAdv, pero en el SPV hay que especificar si son directo, indirecto, circunstancial, regido, predicativo o agente. Recuerda que estos seis tipos de complementos sólo pueden salir de un predicado, nunca de otro sintagma.

En el cuadro escribo PP para señalarte por separado los pronombres que pueden hacer de CD o de CI y para que te fijes en ellos, pero recuerda que un PP forma siempre un SN. Aunque el uso de *le* y *les* en lugar de *lo* y *los* se considera muchas veces incorrecto, resulta muy habitual, incluso en exámenes de Selectividad, así que tenemos que incluir *le* y *les* entre los pronombres que pueden hacer de CD.

Cada uno de esos complementos tiene una estructura particular. No hagas pruebas a un sintagma para ver si es un complemento determinado si no tiene la estructura necesaria. Por ejemplo, si un SP lleva una preposición *de* no le hagas pruebas de CD o de CI, porque sólo puede ser CC o CRég. Un SN puede hacer de CD o de CC o de PVO, pero no de CI (salvo que sea un pronombre personal) o de CRég. Siempre que tengas un SAdj que complementa a un verbo es PVO y si es un SAdv siempre es CC.

SPV	NP (o NV)
	CD SN SP: preposición a PP: me, te, se, nos, os, lo, la, los, las, le*, les*
	CI SP: preposición a PP: me, te, se, nos, os, le, les
	CC SAdv SP: con cualquier preposición SN
	CRég SP: con cualquier preposición
	PVO SAdj (y también SN, SP, como+SN y SAdv)
	CAg SP: preposición por

El **complemento directo** (CD) se busca sustituyendo por *lo, la, los* o *las*, si no eres leísta. Como mis alumnos lo son, tienen que realizar la prueba pasando a pasiva. La pasiva se forma con *ser* más el participio del verbo que aporte el significado, y el sujeto no realiza la acción, sino que la recibe, como pasa en *Fue admitida en la universidad*.

Una vez localizado el sujeto de cualquier oración y comprobado que el verbo es predicativo, pueden ser CD un SN (cuando es de cosa), un SP precedido de *a* (cuando es de persona) y los pronombres átonos que figuran en el cuadro.

Coge al sospechoso de ser CD y colócalo como sujeto de la oración pasiva: para ello debes quitarle la preposición *a* y, si es un PP que no puede hacer de sujeto, cambiarlo por uno que sí pueda (*yo, tú, él...*). A continuación pon el verbo en pasiva. Ahora pon el sujeto con un *por* delante, como CAg. Si la oración tiene sentido, acabas de encontrar el CD. Si no, debes probar con el siguiente.

Vamos con ejemplos. *Me asusta el ruido de la calle*. Identifico el verbo (*gusta*) y el sujeto (*el ruido de la calle*). *Me* está entre los pronombres que pueden hacer de CD, así que lo pongo de sujeto, con la forma *yo*. Paso el verbo a pasiva, concordando con este nuevo sujeto: *Yo soy asustado*. Pongo un *por* delante del sujeto de la original: *Yo soy asustado por el ruido de la calle*. Es correcto, así que *me* es el CD.

¿Será igual en *Me gusta el ruido de la calle*? Doy los mismos pasos y me queda *Yo soy gustado por el ruido de la calle*. Es una frase sin sentido, así que *me* no es CD.

Algunos verbos suenan un poco raros cuando haces la prueba, porque en español usamos poco la pasiva. En esos casos debes usar el diccionario y mirar si el verbo aparece como transitivo (*tr.*) o intransitivo (*intr.*).

Los verbos de afección psíquica (*afectar, asustar, asombrar, convencer, divertir, impresionar, molestar, ofender, perjudicar, preocupar*), aunque figuran en el DRAE como transitivos, admiten, según el *Diccionario Panhispánico de Dudas*, tanto pronombres de CD como de CI, dependiendo de si el sujeto es agente activo de la acción y de la voluntariedad de ésta. Según el DPD *me* es CI en *Me divierte la lluvia* y CD en *Me divierte Juan*: sin embargo, para el DRAE, es CD en ambos casos. En *Me molesta tu impaciencia* o *Me molesta Juan* algunos profesores consideran *me* CD y otros CI.

En *Escribí a tu hermana*, tu hermana no fue escrita por mí: lo escrito por mí fue una carta que no menciono. Así que *a tu hermana* no es CD, sino CI.

Algunos verbos pueden variar de significado como transitivos e intransitivos. En *La bruja me encantó*, al pasar a pasiva me queda *Yo fui encantado por la bruja*. Si el verbo significa *gustar mucho* la frase no tiene sentido, pero si significa *hechizar* es correcta: así que en el primer caso es CI y en el segundo CD.

Otras veces el error viene porque creemos que la oración es tan fácil que no vale la pena hacerle pruebas. Casi todos los alumnos analizan mal *Llamó tonto a Juan*, y dicen que *tonto* es el CD y *a Juan* el CI. Pensemos. *Tonto* no puede ser CD porque es un adjetivo, y cuando un adjetivo complementa a un verbo es siempre PVO. Vamos a probar ahora *a Juan* como CD. Recuerda que le tienes que quitar la preposición para hacer la prueba: *Juan fue llamado tonto por él* es correcto. Así que *a Juan* es el CD. Lo mismo ocurre en *A Daniel lo llamaban El Mochuelo*. El CD aparece duplicado (*a Daniel* y *lo*), y *El Mochuelo* no pasa la prueba del CD (no puedo decir *El Mochuelo era llamado a Daniel*, pero sí *Daniel era llamado El Mochuelo*) ni la del CI: es PVO.

Si buscas el CI antes que el CD te equivocarás siempre cuando haya un complemento de persona, porque todos responden a la pregunta ¿*a quién*? Tenemos *Avisé a Pedro* y *Di la carta a Pedro*. Si preguntas ¿*a quién*? te responderá en ambos casos *a Pedro*. Sin embargo el primero es CD y el segundo CI.

Para hacer las pruebas de CD o CI a un PP tienes que sustituirlo por *una persona* o *una cosa*. Si analizas *Se lo di el sábado* debes sustituir *se* por *a él* o por *a una persona* y *lo* por *una cosa* y reordenar la oración. Nos queda *Di una cosa a él el sábado*. Ahora pruebo *una cosa* y *a él* como CD: ¿qué dirías, *Una cosa fue dada a él el sábado* o *Él fue dado una cosa el sábado*? Lo primero, ¿verdad? Por eso *lo* es el CD y no *se*.

Si al sustituir la frase te suena rara, en lugar de *una persona* o *una cosa* pon un SN que te suene bien: *Di el paquete a Juan el sábado*. Ahora haz la prueba. *El paquete fue dado a Juan por mí el sábado* es correcta, pero *Juan fue dado el paquete por mí el sábado* no lo es. Así que el CD es *lo*.

A veces el CD aparece dos veces: *Las manzanas me las comí enseguida*. *Las manzanas* significa lo mismo que *las* y desempeña la misma función. Así que, con probar una de las dos, encontramos la función. Como *Las manzanas fueron comidas por mí enseguida* es correcta, tanto *las manzanas* como *las* es el CD. Conviene señalar con una nota *El CD aparece duplicado*.

A veces un verbo transitivo (los que necesitan CD) no lleva el CD escrito porque resulta obvio. Cuando digo *He comido con Lucía*, aunque *comer* es transitivo, no hace falta que ponga el CD, porque todos entienden que he comido comida. Sólo si quiero especificar qué comida pondré el CD: *He comido paella con Lucía*.

Muchos españoles son leístas. Eso significa que usan los pronombres *le* y *les* como CD. Aunque se discute si estos usos son correctos y en qué casos, lo importante es que los vas a encontrar en los análisis con esta función: por eso los he incluido en la lista de PP que pueden hacer de CD. Aunque lo recomendable, para un CD de persona, sería decir *Lo encontré*, *Lo regañaron* o *Lo miré*, mis alumnos suelen decir *Le encontré*, *Le regañaron* y *Le miré*. Debes hacerles las mismas pruebas que a cualquier otro posible CD. Sin embargo, el laísmo y el loísmo se consideran un error y nunca te van a poner una oración que los contenga, de modo que puedes dar por seguro que los pronombres *lo*, *los*, *la*, *las*, en el SPV, son CD.

El complemento **indirecto** (CI) se busca sustituyendo por *le* o *les*, si no eres leísta o laísta. Casi todos mis alumnos son leístas y muchos son laístas, así que tienen que preguntar *¿a quién?* al verbo, siempre después de buscar el CD. Si lo hacemos al contrario nos equivocaremos siempre. Si en *Nos saludaron los vecinos* preguntamos *¿A quién saludaron los vecinos?* la oración nos responderá *a nosotros*, nos equivocaremos y pondremos CI. Pero si buscamos primero el CD veremos que *Nosotros fuimos saludados por los vecinos* es correcta. Así que *nos* es CD.

En *Entregaron el Balón de Oro al mejor jugador*, el Balón de Oro fue entregado al mejor jugador, de modo que es el CD. Después pregunto *¿A quién entregaron el Balón de Oro?* Responde *al mejor jugador*, así que es CI.

Es muy habitual que el CI aparezca dos veces en el mismo predicado. Eso no significa que haya dos CI. Es el mismo, pero aparece dos veces. Conviene indicarlo en una nota.

Le pedí el libro a mi mejor amigo.	Pídele la moto a tu hermano.	¿Te parece bien a ti?
SN NP SN-CD SP-CI dupl	NP SN SN-CD SP-CI dupl	SN-CI Cóp S Adv SP
CI	CI	Atrib CI dupl
SV-SPV	SV-SPV	SV-SPN
O. Simple SO: Yo	O. Simple SO: Tú	O. Simple SO: Eso

Para asegurarnos de que tenemos un CI debemos comprobar siempre que lo que hemos marcado como CI se puede sustituir por *le* o *les*. Así, en *Acudió a su abuelo*, *a su abuelo* responde a la pregunta *¿a quién?*, pero la sustitución *Le acudió* no es posible. Se trata de un CRég. Si no se puede sustituir por *me, te, se, nos, os, le* o *les*, no es CI.

El complemento **circunstancial** (CC) se busca realizando distintas preguntas, según el tipo que busquemos: modo (*¿cómo?*, CCM), lugar (*¿dónde?*, CCL), tiempo (*¿cuándo?*, CCT), cantidad (*¿cuánto?*, CCcant), causa (*¿por qué?*, CCcausa), finalidad (*¿para qué?*, CCfin), compañía (*¿con quién?*, CCcomp), instrumento (*¿con qué?*, CCinst), destinatario (*¿para quién?*, CCdest). También hay otros que no responden a preguntas, como el de condición (*en caso de duda*, CCcond), el de posibilidad (*quizás*, CCposib), el de concesión (*a pesar de su esfuerzo*, CCconces), el de negación (*no, tampoco*, CCneg), el de afirmación (*sí, también*, CCafirm).

Es importante que te asegures de que el CC no sólo responde a la pregunta, sino que expresa la circunstancia que vas a escribir. Por ejemplo, en *Fui al cine con mis amigos*, *con mis amigos* responde a *¿con quién fui al cine?* y además es cierto que fui al cine con ellos, que me acompañaron al cine, así que es CCcomp. Sin embargo en *Cuento con mis amigos*, a la pregunta *¿con quién cuento?* la oración responde *con mis amigos*, pero mis amigos no me acompañan para contar, así que no es CCcomp, sino CRég. Lo mismo ocurre con *Me encontré con María*. *Con María* responde a la pregunta *¿con quién me encontré?*, pero María no me acompañó a encontrar nada, así que no es CCcomp.

En *Abrí la puerta con el martillo*, *con el martillo* responde a la pregunta *¿con qué?* y además es el instrumento con el que abrí la puerta, así que es CCinst, pero en *Rió con furia* el sujeto no usó la furia para reír, de modo que, aunque responda a la pregunta no es CCinst, sino CCM.

Para buscar el CCL hay que poner a veces la preposición que lleve el complemento antes de la pregunta. Si analizamos *Salí de Córdoba por la A-4 hacia Madrid*, las preguntas serán *¿de dónde saliste?*, *¿por dónde saliste?* y *¿hacia dónde saliste?* En este caso el mismo verbo tiene tres CCL.

El complemento regido o **de régimen** o suplemento o complemento de régimen verbal (CReg o CRég o CSup o CRV) es un complemento imprescindible para que el verbo tenga significado completo, como el CD. Debes asegurarte de buscarlo en cuarto lugar.

En *Cuento con mis amigos*, el que cuenta tiene que contar con algo o con alguien para que el verbo signifique *tener confianza en*; en caso contrario significará *decir un número detrás de otro*; así que es CRég.

Lo mismo ocurre con *acordarse de, alegrarse de, casarse con, soñar con, confiar en, creer en, preguntar por, referirse a, tratar sobre*... Son muchas las preposiciones que pueden introducir un CRég.

A veces un verbo puede llevar su CRég con varias preposiciones equivalentes: *chocar con/contra, charlar de/sobre/acerca de*.

Es muy importante que compruebes, antes de poner CRég, que has descartado el CCL, porque todos los verbos de movimiento que indiquen dirección lo exigen, así que puedes pensar que el que viene siempre viene de un sitio, o que, quien va, siempre va a un sitio. Fíjate en que dices *a un sitio*. En *Salí de mi casa*, *de mi casa* es CCL y no CRég. En *Fui a la verbena*, *a la verbena* es CCL y no CRég.

El **predicativo** (PVO) es un complemento del verbo que concuerda con el SNS o con el CD. Normalmente es un adjetivo: *Llegaron cansados a la fiesta*; *Andaban confiados por el monte*; *Volvieron del viaje resfriados* (en estos casos el PVO concuerda con el SNS), *Me entregó envueltos los paquetes*, *Se puso negra la camisa de tanto humo*, *Tiene rubias las cejas*, *Llamó tonto a Juan* (en estos casos el PVO concuerda con el CD).

Es importante que comprendas que los adjetivos que van subrayados te dicen cómo se realiza la acción verbal, cómo llegaron, cómo andaban, cómo volvieron, cómo entregó los paquetes, cómo se puso la camisa, cómo tiene las cejas o qué le llamó. Es decir, que complementan al verbo.

Todo adjetivo que complemente a un verbo predicativo es PVO.

También podemos tener PVO con SN (*Nombraron presidente a Juan*), con un SP (*Lo eligieron de presidente*), con un *como* delante (*Lo eligieron como presidente*) o con un SAdv (*Te veo muy bien con ese vestido*, porque muy bien no dice cómo te veo, sino cómo estás con el vestido).

Reconocerás cualquier PVO porque encontrarás un sintagma que complementa al verbo, pero a la vez concuerda en género y número con el SNS o con el CD (o, en caso del SAdv, se refiere a uno de ellos).

El complemento **agente** (CAg) aparece en las pasivas, lleva delante la preposición *por* y realiza la acción verbal, ya que el sujeto, en estas oraciones, recibe esta acción. Comparemos tres oraciones: *Fue sorprendido por su despiste*, *Fue sorprendido por la noche* y *Fue sorprendido por la policía*. Todos cumplen las dos primeras condiciones, pero sólo *la policía* realiza la acción de sorprender, así que *por la policía* es CAg, pero no lo son *por su despiste* (CCcausa) ni *por la noche* (CCT).

Nos informaron del retraso por megafonía con mucha antelación.

			Det	N		Det	N		Det	N
		E	SN-Térm		E	SN-Térm		E	SN-Térm
SN CD	NP	SP-C Rég			SP-CC M			SP-CC M		
		SV-SPV								
		O. Simple SO: Ellos								

Se lo preguntó demasiado tarde.

			SAdvCAdv	N
SN CI	SN CD	NP	S Adv-CC M	
		SV-SPV		
		O. Simple SO: Ella		

Escribimos todos los acampados una carta de agradecimiento a los monitores.

					E	SN-Térm	Det	N
			Det	N	SP-CN	E	SN-Térm
NP	Det	Det	N	SN-CD		SP-CI
SV-SPV	SN-Suj			SV-SPV		

O. Simple

Os indicó el camino a casa muy contento.

				E	SN-Térm		
	Det	N	SP-CN	SAdvCAdj	N
SN-CI	NP	SN-CD		S Adj-C Pvo
SV-SPV				

O. Simple SO: Él

Llegamos de la excursión muy cansados los novatos.

		Det	N				
	E	SN-Térm	SAdvCAdj	N
NP	SP-CC L	S Adj-C Pvo	Det	N
SV-SPV			SN-Suj

O. Simple

Díselo a tu hermano Pedro enseguida.

	Det	N	SN-Apos	
	E	SN-Térm		
NP SN-CI SN-CD	SP-CI duplicado	S Adv-CC T
SV-SPV		

O. Simple SO: Tú

Me habló entusiasmado de su colaboración en la ONG.

					Det	N
				E	SN-Térm
		Det	N	SP-CN
	E	SN-Térm
SN-CI	NP	S Adj-C Pvo	SP-C Rég
SV-SPV		

O. Simple SO: Él

Hubo muchos atascos a causa de la lluvia.

				Det	N
	Det	N	E	SN-Térm
NP	SN-CD	SP-CC Causa
SV-SPV		

O. Simple Impersonal

Os lo prestaron vuestros primos durante cinco años.

					Det	N
				E	SN-Térm
SN-CI SN-CD	NP	Det	N	SP-CC T
SV-SPV	SN-Suj	SV-SPV

O. Simple

Nos alegra el éxito de tu empresa.

				Det	N
			E	SN-Térm
1	NP	Det N	SP-CN
SV-SPV	SN-Suj

O. Simple

1: CD o CI (verbo afección psíquica)

Soñaba con un viaje al extranjero.

				Det	N
			E	SN-Térm
	Det	N	SP-CN
	E	SN-Térm
NP	SP-C Rég
SV-SPV

O. Simple SO: Ella

Subían la montaña agotados.

	Det	N	
NP	SN-CD	S Adj-C Pvo
SV-SPV		

O. Simple SO: Ellos

Puso en espera a los clientes enfadados.

		Det	N	S Adj-CN
		E	SN-Térm	
NP	S Adv-CC M		SP-CD	
	SV-SPV			
	O. Simple SO: Ella			

El coche lo arrancó con unas pinzas.

			Det	N
		E	SN-Térm	
SN-CD dupl	SN/CD	NP	SP-CC Inst.	
SV-SPV				
O. Simple SO: Él				

Convocó a los afectados a una manifestación.

	Det	N	Det	N
	E	SN-Térm	E	SN-Térm
NP	SP-CD		SP-C Rég	
	SV-SPV			
	O. Simple SO: Ella			

Lo encontraron escondido en un rincón a pesar de la falta de luz.

			Det	N		E	SN-Térm
			E	SN-Térm		Det	N SP-CN
		N	SP-C Adj		E	SN-Térm	
SN-CD	NP	S Adj-C Pvo			SP-CC Concesión		
		SV-SPV					
		O. Simple SO: Ellas					

Nos lo prometieron bien planchado.

			SAdv CAdj	N
SN-CI	SN-CD	NP	S Adj-C Pvo	
	SV-SPV			
	O. Simple SO: Ellos			

No recordó nadie el día de mi cumpleaños.

			Det	N
			E	SN-Térm
		Det	N	SP-CN
S Adv CC neg	NP			SN-CD
SV-SPV		SN-Suj		SV-SPV
		O. Simple		

Fueron denunciados por la mañana por los vecinos por corrupción.

NP	SP-CC Tpo	SP-C Ag	SP-CC causa
	SV-SPV		
	O. Simple SO: Ellos		

Puso enfadados a los clientes.

		Det	N
		E	SN-Térm
NP	S Adj-C Pvo	SP-CD	
	SV-SPV		
	O. Simple SO: Él		

Nombraron presidente a Juan los vecinos.

NP	SN-C Pvo	SP-CD	Det	N
	SV-SPV		SN-Suj	
	O. Simple			

Le obligó el cabezazo al portero a una difícil estirada.

				N	Det	S Adj CN	N
				E SN-Térm	E	SN-Térm	
SN-CD	NP	Det	N	SP-CD dupl		SP-C Rég	
SV-SPV		SN-Suj				SV-SPV	
		O. Simple					

1.7 Sintagma predicado nominal (SPN)

Los verbos *ser*, *estar* o *parecer* sólo forman SPN si llevan atributo; si no, forman SPV. El verbo copulativo carece de significado y no es núcleo del predicado (lo es el atributo). Por eso, aunque el programa de análisis que he usado lo llama SV-SPN, prefiero llamarlo SPN.

SPV	*Cópula (cóp)*
	Atributo (At): SAdj, SN, SP, SAdv, PP lo
	CI
	CC

En los siguientes ejemplos tenemos SPN: *Juan está cansado, Juan está de los nervios, Juan está para el arrastre, Juan está bien, Juan es un ingeniero famoso, Juan es de los nuestros, Juan es de confianza, El bolígrafo es mío, Juan parece honesto, Juan parece un oso*. Es SPN porque uno de los complementos verbales nos dice del sujeto cómo está, qué es, cómo es, de quién es, cómo parece o qué parece.

Sin embargo, son SPV *Juan está en Sevilla* (CCL), *El bolígrafo es para escribir* (CCFin), *Estoy con mis amigos* (CCComp), *Se parece a su padre* (en este caso el verbo es *parecerse* y *a su padre* es CI).

Basta con que aparezca un atributo para que tengamos SPN. En *Está en la calle con sus amigos* no hay atributo, así que es SPV, pero en *Está muy contento en Jaén con sus amigos* tenemos un atributo y, por tanto, SPN.

El pronombre personal *lo* puede ser atributo, porque puede sustituir a este complemento. *Estoy contento* puede dejarse en *Lo estoy*. No admite variación de género o número.

Hay que tener cuidado con las oraciones que llevan el sujeto omitido. En *Es un ingeniero famoso* es habitual que los alumnos digan que el sujeto es *un ingeniero* y el atributo *famoso*, pero, en realidad, el sujeto está omitido (*él*) y *un ingeniero famoso* es el atributo. En *Es el agua que sabe tan bien*, el sujeto es *ésa*.

Uno de los errores más habituales viene de confundir predicados nominales con verbos pasivos. Como norma general, recuerda que *ser* + participio forma pasiva y *estar* + participio forma cópula y atributo. Por supuesto, existen casos como *Él es parecido a su padre* o *Sois bienvenidos*, que no tienen sentido pasivo y donde *parecido* y *bienvenidos* funcionan como adjetivos y no como verbos, pero son excepcionales. Cuando te salga *fuimos contratados, eran descubiertos* o *sois valorados* analiza los verbos en forma pasiva; cuando tengas *estuvimos contratados, estaban descubiertos* o *están valorados*, analiza con un predicado nominal, con cópula y atributo.

Fueron saboteadas	todas	las	intalaciones.
NP	Det	Det	N
SV-SPV		SN-Suj	
	O. Simple		

Estaban	destrozadas	todas	las	instalaciones.
Cóp	S Adj-Atrib	Det	Det	N
SV-SPN			SN-Suj	
		O. Simple		

No fueron informados de los cambios.				
			Det	N
		E	SN-Térm	
S Adv CC neg	NP		SP-C Rég	
	SV-SPV			
O. Simple SO: Ellos				

No estaban informados de los cambios.				
			Det	N
		E	SN-Térm	
		N	SP-C Adj	
S Adv CC neg	Cóp		S Adj-Atrib	
	SV-SPN			
O. Simple SO: Ellos				

En *Me pareció realmente difícil*, el adjetivo nos indica cómo me pareció, así que es el atributo y el predicado es nominal. En *Tus amigas están en clase muy distraídas*, tenemos un SAdj que dice cómo están tus amigas, de modo que es predicado nominal.

Me pareció realmente difícil.		
	SAdvCAdj	N
SN CI	Cóp	S Adj-Atrib
	SV-SPN	
O. Simple SO: Eso		

Tus amigas están en clase muy distraídas.				
		E	SN Térm	SAdvCAdv N
Det	N	Cóp	SP-CC L	S Adj-Atrib
SN-Suj		SV-SPN		
O. Simple				

En *No está aquí*, el adverbio *aquí* no dice cómo está, sino dónde está; es un CCL; como no podemos encontrar un atributo, el predicado es verbal. En *Lo parece* debes recordar que *lo* puede sustituir en estas oraciones a un adjetivo; puede significar que parece hermoso o que parece fácil; por eso es el atributo. También podría sustituir a un SN (*Parece un ángel*). En *No está bien* hay un adverbio en el predicado, pero esta vez sí nos indica cómo está la acción, no dónde, así que funciona como atributo. En *Es de los nuestros* tenemos un SP que nos indica una cualidad del sujeto, así que funciona como atributo.

No está aquí.		
S Adv CC neg	NP	S Adv CC L
SV-SPV		
O. Simple SO: Eso		

Lo parece.	
SN Atrib	Cóp
SV-SPN	
O. Simple SO: Eso	

No está bien.		
S Adv CC neg	Cóp	S Adv Atrib
SV-SPN		
O. Simple SO: Eso		

Es de los nuestros.		
	Det	N
	E	SN-Térm
Cóp	SP-Atrib	
SV-SPN		
O. Simple SO: Él		

En *Es un famoso actor sueco* debes tener cuidado para localizar el sujeto omitido; un error habitual es decir que el sujeto es *un famoso actor*, y *sueco* es el atributo. *¿De quién es ese perro?* es una oración en la que fallan muchos alumnos; el sujeto es *ese perro*, como demuestra la concordancia, y *de quién* indica una característica importante del perro, que es a quién pertenece, así que se trata de un atributo. En *Está en la cama con fiebre desde el martes*, puede parecerte que sólo tenemos circunstanciales, y por tanto el predicado es verbal, pero *con fiebre* responde a una cualidad del sujeto, te dice cómo está, de hecho, incluso existe el adjetivo *febril*, así que es el atributo.

Es un famoso actor sueco.				
	Det	S Adj-CN	N	S Adj-CN
Cóp		SN-Atrib		
	SV-SPN			
O. Simple SO: Él				

¿De quién es ese perro?				
E	SN Térm			
SP-Atrib		Cóp	Det	N
SV-SPN			SN-Suj	
O. Simple				

Está en la cama con fiebre desde el martes.			
Cóp	SP-CC L	SP-Atrib	SP-CC Tpo
	SV-SPN		
O. Simple SO: Ella			

En *Está en Valencia desde el martes* se nos indica dónde está y desde cuándo, pero no cómo está: por tanto no hay atributo y el predicado es verbal. En *Es tarde* no hay sujeto: un verbo impersonal no puede ser copulativo, así que analizamos el predicado como SPV. En *Hoy está soleado* entendemos que hay un SO, *el día*, así que no es impersonal; también podría considerarse que *hoy* esta sustantivado y significa *el día de hoy*: en ese caso sería el sujeto. En *Es para la limpieza dental* no se nos dice cómo es o qué es el objeto al que se refiere, por ejemplo un cepillo, se nos dice para qué sirve; de hecho, el verbo *ser* ya no carece de significado, como les ocurre a los verbos copulativos, sino que significa *servir*; así que se trata de un predicado verbal.

Está en Valencia desde el martes.	Es tarde.	Hoy está soleado.	Es para la limpieza dental.
NP SP-CC L SP-CC Tpo	NP S Adv CC M	S Adv CC T Cóp S Adj-Atrib	NP SP-CC Fin
SV-SPV	SV-SPV	SV-SPN	SV-SPV
O. Simple SO: Ella	O. Simple impers.	O. Simple SO: El día	O. Simple SO: Eso

Está de los nervios, para el arrastre y *en las últimas* son locuciones adjetivales: eso quiere decir que son grupos de palabras que ya no funcionan con autonomía sino como un adjetivo (*nervioso, agotado, desahuciado*) que ejerce de Atrib. Si tenemos *Está en la luna*, que significa *Está distraído*, el predicado es nominal; si tenemos *Está en la Luna*, eso significa que es astronauta y está en el satélite, así que es predicado verbal y el tipo tiene suerte: hasta ahora sólo 12 personas lo habían logrado. En *El partido es en el estadio nuevo* no tenemos atributo, sino CCL; además el verbo *ser* significa *tiene lugar*, así que tenemos un predicado verbal. En *Está con sus amigos en una fiesta* no hay ningún complemento que nos diga cómo está, así que tenemos un predicado verbal. En *Están felices los perros en el campo* debes fijarte en que el sujeto va en mitad de la oración.

Está de los nervios.	El partido es en el estadio nuevo.	Está con sus amigos en una fiesta.	Están felices los perros en el campo.
Cóp S Adj-Atrib	NP SP-CC L	NP SP-CC Comp SP-CC L	Cóp S Adj Atrib SP-CC L
SV-SPN	SN-Suj SV-SPV	SV-SPV	SV-SPN SN-Suj SV-SPN
O. Simple SO: Él	O. Simple	O. Simple SO: Ella	O. Simple

1.8 Usos especiales de los PP átonos *me, te, se, nos, os*

Ciertos libros hablan de los usos especiales de *se*, pero algunos de estos usos pueden ser desempeñados también por otros pronombres. Por eso yo prefiero hablar de los usos especiales de los pronombres personales átonos *me, te, se, nos* y *os*.

Podemos encontrar muchos usos, pero yo voy a explicar los ocho más habituales, que son los que vas a necesitar. También puede que los encuentres en otros libros con distintos nombres, pero si entiendes cómo funcionan sólo tendrás que cambiar un nombre por otro.

Para buscar el uso de uno de estos pronombres debes mantener el sistema habitual de análisis e ir siempre por el orden que figura a continuación.

Cualquiera que sea el uso de estos pronombres átonos, se escriben en una sola palabra con el verbo si éste está en imperativo, gerundio o infinitivo, así que cuando encuentres *díselo*, *tomándoselo* o *decíroslo*, recuerda que, aparte del verbo, hay pronombres que debes analizar. Sin embargo, ojo con la desinencia *–aste* o *–iste*: en *dejaste* o *viniste* no hay un pronombre; el verbo termina así.

Para que haya un uso especial de un pronombre personal átono, éste debe coincidir con el sujeto, salvo en los casos en los que sólo se admite el pronombre *se* (impersonal, pasiva refleja y sustituto de *le*) y en el dativo ético. Eso quiere decir que cuando aparezca *yo me*, *tú te* o *él se* habrá un uso especial, pero cuando aparezca *yo te*, *tú nos* o *él le* el pronombre personal átono hará de CD o de CI sin más.

1.8.1 *Se* impersonal

Sólo puede impersonalizar al verbo *se*. El pronombre forma parte del **NP**. Siempre comenzamos el análisis buscando el verbo y su sujeto. Si resulta imposible encontrar un sujeto y el verbo tiene delante un *se* diremos que el verbo es impersonal, y en el NV incluiremos el *se*. Sólo pueden ser impersonales los verbos en singular.

En la oración *Se localizaron los restos arqueológicos*, *los restos arqueológicos* concuerdan con el verbo, *localizaron*, de modo que en ningún caso podemos considerarla impersonal. Sin embargo, en la oración *Se localizó el avión desaparecido* existen dos posibilidades de análisis. Se puede analizar como impersonal, porque en español es aceptable, aunque no recomendable, escribir *Se localizó los aviones desaparecidos*. Lo mejor es analizarla como pasiva refleja, como veremos a continuación. Si la oración es *Se sancionó a los infractores* el sujeto no está omitido y *a los infractores* no puede hacer de sujeto, puesto que está en plural y lleva una preposición delante; en este caso sólo podemos analizar como impersonal.

1.8.2 *Se* de pasiva refleja

Sólo puede expresar la pasiva refleja *se*. El pronombre forma parte del **NP**. Insistimos en que lo primero que hacemos es buscar el sujeto del verbo. Cuando lo identifiquemos, debemos preguntarnos si realiza la acción verbal. Si no realiza la acción verbal, sino que se la realiza alguien conscientemente, estamos ante una pasiva refleja.

En la oración *Pedro se lavó las manos*, el sujeto, *Pedro*, realiza la acción, luego no podemos tener una pasiva. En *Se detuvo el reloj*, el sujeto, *el reloj*, no realiza la acción de detener, puesto que no se detiene a sí mismo; así que no podemos decir que el verbo sea activo; pero como el reloj tampoco es detenido por alguien no podemos decir que el verbo sea pasivo. Ya veremos cómo analizamos este caso. De momento podemos decir que no es pasiva refleja.

A veces se dice al estudiante que tiene una pasiva refleja siempre que pueda poner el verbo en pasiva manteniendo el significado original, pero se trata de un consejo peligroso porque, aunque funciona muchas veces, en oraciones como *Se bautizó a los niños*, los niños fueron bautizados, pero no es pasiva refleja, porque *a los niños* no es el sujeto (es impersonal). Así que nunca debes analizar como pasiva refleja hasta haberte asegurado de que tienes sujeto, de que éste no realiza la acción y de que alguien se la realiza a él.

En la oración *Se distribuyeron los víveres entre los supervivientes*, el sujeto, *los víveres*, no realiza la acción de distribuir, y existe alguien que conscientemente la realiza (distribuye los víveres). Es decir, que los víveres *son distribuidos* conscientemente por alguien. Así que el verbo equivale a una forma pasiva: esta vez sí nos hallamos ante una pasiva refleja.

La pasiva refleja no admite CAg.

1.8.3 Pronombre reflexivo: *me, te, se, nos, os*

El pronombre no forma parte del NP, sino que tiene función: **CD** o **CI**. Para que un pronombre sea reflexivo tienen que cumplirse tres condiciones:
1. El sujeto realiza la acción sobre sí mismo.
2. Podría realizarla sobre otro.
3. La realiza conscientemente. No es sólo algo que le ocurre.

No basta con que se cumpla una, tienen que ser las tres a la vez. Además, tienen que cumplirse en el contexto de la oración que estás analizando, no en otro ejemplo.

Sólo comparando distintos ejemplos puedes distinguir un pronombre reflexivo. Si digo *Pedro se escondió*, Pedro se escondió a sí mismo, podía haber escondido a su primo, o un brazo, o el libro de Física, y realizó la acción conscientemente, no fue algo que le pasó. De modo que ese *se* es reflexivo (CD).

Si digo *El submarino se sumergió*, el submarino se sumergió a sí mismo, podía haber sumergido el periscopio y realizó la acción de modo consciente. Algunos alumnos dicen que el submarino es una máquina y no puede realizar acciones conscientes. Sin embargo, el hablante entiende aquí por *submarino* no sólo la máquina, sino también la tripulación, de modo que se trata de una acción consciente y tenemos un *se* reflexivo (CD).

Sin embargo, en *El barco se hundió tras el choque con la roca*, el barco no realizó la acción de hundirse, sino que la sufrió, y, desde luego, no fue una acción consciente, sino algo que le ocurrió. Por tanto no tenemos un reflexivo, sino una voz media, que estudiaremos luego.

En *Me marché de Madrid* la acción es voluntaria, pero ni yo me marcho a mí mismo, ni puedo marchar a otro de Madrid, de modo que no se trata de un uso reflexivo, sino de un verbo pronominal, que estudiaremos luego.

Nunca dejes un reflexivo sin función. Tiene que ser CD o CI. Hazle la prueba de pasiva y mira si puede haber otro CD antes de poner la función. En *Me lavé las manos* el CD es *las manos* y *se* es CI, pero en *Me lavé* lo lavado fui yo, no una parte de mí, así que *me* es un PRef CD. En *Me puse la corbata* lo puesto es la corbata y *me* el PRef CI. En *Me puse junto a la ventana*, *me* es un PRef CD. En *Me puse enfermo* no hay pronombre reflexivo, porque ni yo me puse a mí mismo, ni la acción es consciente: cuando alguien se pone enfermo no realiza una acción, sino que la experimenta.

Para considerar que el sujeto ha realizado la acción sobre sí mismo resulta indiferente que sea él quien la realice en persona o que haga que otro la realice por él. En *Me construí una casa en la sierra* da igual que el sujeto haya puesto dinero o ladrillos, porque en ambos casos ha causado la acción, de modo que el pronombre es reflexivo (CI). En *Me saqué una muela* da igual que yo haya empuñado los alicates o pagado al dentista: está claro que no me ha sucedido la acción, sino que yo la he causado (PRef CI). Cuando decimos que la acción es consciente no queremos decir que sea agradable. Sin embargo en *Me partí un diente*, el sujeto no realiza la acción conscientemente, ni hace que otro la realice, sino que más bien la recibe y la padece: este *me* no es reflexivo sino voz media. Por eso pedimos cita para sacarnos una muela, pero no para partirnos un diente.

1.8.4 Pronombre recíproco: *nos, os, se*

El pronombre no forma parte del NP, sino que tiene función: **CD** o **CI**. Estos pronombres sólo se usan en plural, y necesitan que el sujeto esté formado por varias personas. Cada uno de los miembros del sujeto realiza la acción sobre los otros y la recibe de ellos.

Un modo fácil de probar que un pronombre es recíproco es que la oración admite que añadamos *el uno al otro*. Si digo *Juan y María se escriben cartas de amor* (*el uno al otro*), tienes que pensar qué quiero decir. Si quiero decir que Juan escribe a Juan y María a María, tengo un reflexivo. Si quiero decir que Juan escribe a María y María escribe a Juan, y que Juan recibe la acción, la carta, de María, y María de Juan, es PRec CI, puesto que el CD es *cartas de amor*. Y lo mismo ocurre con *Ellos se escupen* (*el uno al otro*) o *Ellos se odian* (*el uno al otro*), ambos PRec CD.

En *Felisa y María se aman la una a la otra*, *la una a la otra* es PVO.

Algunos libros recomiendan probar si un pronombre es recíproco añadiendo *entre sí*, pero a mí me parece una prueba peligrosa. En *Juan y Pepe se pelean* puedo decir *Juan y Pepe se pelean entre sí* y, sin embargo, no hay reciprocidad, puesto que no puedo decir *Juan pelea a Pepe* ni *Pepe Pelea a Juan*. El verbo *pelear* es intransitivo y no admite CI, de modo que no puede llevar recíproco.

Algunos alumnos dicen que en *Ellos se escupen* puede ocurrir que cada uno escupa al cielo y el escupitajo caiga sobre ellos mismos, con lo cual sería reflexivo. ¿A que se trata de una interpretación rara? Pues no la analices así. No debemos analizar contextos que hayamos retorcido.

También encontraremos casos de ambigüedad. En *Ellas se maquillaron para la fiesta* podemos entender que cada una se maquilló a sí misma (reflexivo) o que cada una maquilló a su amiga y fue maquillada por ella (recíproco).

Nunca dejes un recíproco sin función. Tiene que ser CD o CI. Hazle la prueba de pasiva y mira si puede haber otro CD antes de poner la función. En *Se escriben cartas de amor*, *cartas de amor* es el CD y *se* el PRec CI. En *Se aman*, *se* es PRec CD.

1.8.5 *Se* sustituto de *le*

El pronombre no forma parte del NP. Siempre es **CI**. Los pronombres *le* y *les* son incompatibles con *lo, la, los, las*. Digamos que son alérgicos a ellos, porque la combinación suena mal, así que cuando les toca coincidir, los cambiamos por *se*.

Si tienes que sustituir el CD en *Regalaron el GTA 5 a su colega*, quedaría *Lo regalaron a su colega*; si es el CI quedaría *Le regalaron el GTA 5*. Pero si sustituyes los dos a la vez no puedes poner *Le lo regalaron*. Al ir juntos, tienes que escribir *se* en lugar de *le*: *Se lo regalaron*.

1.8.6 Dativo Ético: *me, te, se, nos, os, le, les*

Se trata de una **función**, así que el pronombre no va dentro del NP. Es el único uso especial que admite también *le* y *les*.

Para que tengamos un dativo ético se tienen que cumplir dos condiciones. La primera es que puedas quitar el pronombre sin que la frase varíe su significado en nada ni se vuelva incorrecta. La segunda es que este pronombre aporte a la oración un énfasis o una marca de que aquello de lo que hablamos nos parece difícil, interesante o curioso.

Si escribo *Me bebí tres vasos de agua seguidos*, el significado es exactamente el mismo que si digo *Bebí dos vasos de agua seguidos*. Pongo el pronombre para enfatizar la acción o recalcar que me parece exagerado beber tanta agua seguida. Lo mismo ocurre en *Te subiste seis escalones de un salto* o *Se estudió tres lecciones en una hora*.

En *El bebé no les come nada*, por fortuna, no queremos decir que la criatura se haya vuelto caníbal: podemos suprimir el pronombre y el significado no varía, puesto que su única función es enfatizar y cargar la oración de emotividad. Otro dativo ético.

Hay que tener cuidado para no confundirlo con la voz media. Cuando digo *El jarrón se cayó* o *Pepe se murió el jueves* es cierto que puedo retirar el pronombre *se* sin alterar el significado de la oración, pero no se cumple la segunda condición, porque no añado a la oración énfasis, ni emotividad. En estos dos casos no digo que la acción sea emocionante o conlleve gusto, sino que sucedió sola, sin que nadie la provocase. El Dat Ét se usa para dar mayor expresividad a la oración. Por eso es tan fácil de reconocer.

1.8.7 Voz media: *me, te, se, nos, os*

El pronombre forma parte de **NP**. Cuando, después de haber realizado todas las pruebas anteriores no hemos obtenido ninguna respuesta, tenemos que plantearnos si la acción ha sucedido sola o si el sujeto la ha realizado conscientemente: si ha sucedido sola tenemos una voz media; si no, un verbo pronominal.

En *El barco se hundió* veíamos que el barco se hundía porque le ocurría algo externo, no porque sus tripulantes decidieran hundirlo; pero tampoco fue torpedeado, ni lo hundió nadie a propósito, sino que se trata de algo que sucedió solo o por accidente. Eso es una voz media.

Si digo *Las cuerdas se desgastaron*, *las cuerdas* no realizan la acción de desgastar aunque sean el sujeto, de modo que no tengo una activa, pero tampoco tengo una pasiva porque la acción no es realizada conscientemente por alguien. Sucede sola. Eso es precisamente lo que significa la voz media: sirve para presentar acciones que suceden solas, sin que nadie las realice.

Cuando digo *Me partí un brazo en el accidente* es obvio que no me partí el brazo a propósito; ni siquiera realicé la acción, sino que la sufrí. El *me* aparece para mostrar que fue algo que me pasó: una voz media.

En *Los sensores se averiaron*, la acción sucedió sola, por accidente, de modo que se trata de una voz media. Pero en *Los sensores se sabotearon* alguien saboteó los sensores conscientemente: se trata de una pasiva refleja.

En *La carretera se cortó para evitar que pasaran los delincuentes* parece claro que no se cortó sola, sino que alguien (la policía, por ejemplo), realizó la acción de cortarla, con un propósito: tenemos una pasiva refleja. Sin embargo, en *La carretera se cortó cuando cayó el árbol* parece claro que quedó cortada sin que nadie hiciera nada adrede para cortarla. Sucedió por accidente, así que tenemos una voz media. En *La carretera se cortó el miércoles* no sabemos si la cortaron a propósito para, por ejemplo, realizar obras, o si quedó cortada por accidente, de modo que podemos analizarla como vm o como pas ref.

En algunos casos nos surgirán dudas sobre si un verbo va en vm o lleva un PRef. Cuando digo *Me acostumbré al frío de Helsinki* alguien puede pensar que el sujeto puede acostumbrar al frío a alguien, y que en este caso se ha acostumbrado a sí mismo, pero la acción parece haber sucedido, no haber sido realizada a propósito por el sujeto. *Acostumbrarse* será reflexivo cuando signifique *entrenarse*. En el ejemplo parece vm.

Se mató es reflexivo si se suicidó y vm si ocurrió por accidente.

El pronombre forma parte del NP porque lo que va en voz media es el verbo. En la voz activa el sujeto realiza la acción y en la pasiva se la realiza otro (el CAg); en la voz media, ni lo uno ni lo otro: la acción sucede sola, por accidente o por casualidad.

La vm se usa mucho, porque sirve para quitar responsabilidad al sujeto. Hasta un niño de tres años es capaz de decir *El jarrón se ha caído*. Ese *se* no es pasivo, ni activo, ni reflexivo: el jarrón se ha caído solo, no es responsabilidad de nadie y, por tanto, no se debe castigar a nadie.

1.8.8 Pronominal: *me, te, se, nos, os*

El pronombre forma parte del **NP**. Decimos que el pronombre forma parte de un verbo pronominal por descarte, tras haber realizado las pruebas anteriores. En el verbo pronominal la acción se realiza conscientemente, como en el reflexivo, pero, a diferencia de éste, no puede ser realizada sobre otra persona.

Cuando escribo *Se fueron de Teruel*, podemos descartar todas las posibilidades anteriores. La acción de irse es consciente, pero no puedo decir *Ellos fueron de Teruel a su hermano*, de modo que no es un pronombre reflexivo, sino un verbo pronominal.

Suicidarse siempre será pronominal, porque nadie puede suicidar a otro y la acción siempre es consciente, pero *trasladarse* es reflexivo porque sí se puede trasladar a otro y la acción es consciente.

En algunos casos nos surgirán dudas sobre si un verbo es reflexivo o pronominal, como ocurre con *acercarse* o *dirigirse*. Alguien puede acercar a otro o dirigir a otro, pero el significado del verbo varía. Cuando digo *Acerqué a Juan a la fiesta* es que lo llevé; cuando digo *Me acerqué a la fiesta* no me llevé, sino que fui. Cuando digo *Dirigí a Felipe a Toledo* significa que le di instrucciones para que fuera allí. Sin embargo, en *Me dirigí a Toledo* no me doy instrucciones, simplemente tomo esa dirección. Prefiero analizarlos como pronominales.

Hay verbos como *atreverse* o *arriesgarse* que no nos dejan claro si la acción es consciente o no, así que pueden ser analizados como voces medias o como pronominales.

Es muy habitual que los verbos pronominales lleven CRég. Fíjate en éstos: *adueñarse de, afanarse por/en, atenerse a, desentenderse de, desquitarse de, ensañarse con, esforzarse en, inmiscuirse en, jactarse de, mofarse de, quejarse de, obstinarse en, pavonearse de, pitorrearse de, querellarse contra, rebelarse contra, regodearse en, vanagloriarse de...*

Siempre debes fijarte en si la acción es voluntaria: *enamorarse de* se parece mucho a los anteriores, pero indica una acción inconsciente, que el sujeto no realiza, sino que le sucede. Con *dignarse a* pueden surgirnos dudas. También muchos verbos de movimiento aparecen en uso pronominal: *marcharse, irse, dirigirse, aproximarse, quedarse*.

Fíjate en el sentido del verbo en la oración que analizas.

Vamos con **ejemplos variados**. En *La paella se hace con azafrán*, el sujeto es *la paella*; si escribo *las paellas* tengo que cambiar el verbo; la paella no se hace a sí misma, ni se hace sola, sino que es hecha por alguien; tenemos una pasiva refleja. *En Madrid se vive bien* no tiene sujeto, ni escrito ni omitido (salvo que entendamos uno del tipo *la vida*: en ese caso tendríamos una pasiva refleja); el pronombre sirve para convertir al verbo en impersonal. *En tu casa se come bien* tampoco tiene sujeto, salvo que imaginemos uno omitido, del tipo *el cocido madrileño*; en ese caso será pasiva refleja.

La paella se hace con azafrán.	En Madrid se vive bien.	En tu casa se come bien.
NP pas ref SP-CC inst	SP-CC L NP imp S Adv CC M	SP-CC L NP imp S Adv CC M
SN-Suj SV-SPV	SV-SPV	SV-SPV
O. Simple	O. Simple impers	O. Simple impers

En ese restaurante se comen truchas tiene un sujeto claro, *truchas*; las truchas no comen, sino que son comidas por quien acude al restaurante: pasiva refleja.

Se aguardaba al ministro no puede tener sujeto, de modo que es impersonal: es muy habitual que se elabore una construcción impersonal con un *se* y un CD de persona precedido de *a*. *Aquí se respeta a todos* es el mismo caso de impersonal.

En ese restaurante se comen truchas.	Se aguardaba al ministro.	Aquí se respeta a todos.
SP-CC L NP pas ref	NP imp SP-CD	S Adv CC T NP imp SP-CD
SV-SPV SN-Suj	SV-SPV	SV-SPV
O. Simple	O. Simple impers	O. Simple impers

Se entregaron los medicamentos a los refugiados tiene un sujeto, *los medicamentos*, que concuerda con el verbo, pero no realiza la acción, sino que la recibe; la acción es realizada por los cooperantes, así que tenemos una pasiva refleja. *En ese huerto se cultivan patatas* tiene como sujeto *patatas*: las patatas no cultivan, sino que son cultivadas por el hortelano, de modo que tenemos una pasiva refleja. En *Se secó el huerto*, *el huerto* concuerda con el verbo y nadie realiza la acción de secarlo, es algo que sucede solo: voz media.

Se entregaron los medicamentos a los refugiados.	En ese huerto se cultivan patatas.	Se secó el huerto.
NP pas ref SP-CI	SP-CC L NP pas ref	NP vm
SV-SPV SN-Suj SV-SPV	SV-SPV SN-Suj	SV-SPV SN-Suj
O. Simple	O. Simple	O. Simple

En silencio se estudia bien es impersonal, salvo que entiendas que hay un sujeto omitido del tipo *esa lección*; en ese caso sería pasiva refleja. En *Esos temas se estudian bien* tenemos un verbo en plural (lo que elimina la posibilidad de impersonal) que concuerda con *esos temas*; los temas no realizan la acción de estudiar, sino que son estudiados por alguien: otra pasiva refleja. *Se escondió en el trastero* tiene un sujeto omitido, *él*, que realiza la acción de esconderse conscientemente sobre sí mismo y podría esconder a otra persona, así que es un pronombre reflexivo; él fue escondido por sí mismo, de modo que *se* hace de CD.

En silencio se estudia bien.	Esos temas se estudian bien.	Se escondió en el trastero.
SP-CC M NP imp S Adv CC M	NP pas ref S Adv CC M	PRef CD NP SP-CC L
SV-SPV	SN-Suj SV-SPV	SV-SPV
O. Simple impers	O. Simple	O. Simple SO: Él

Se perdió en el bosque es analizada en algunas gramáticas como reflexiva, pero no nos consta que él se perdiera a propósito, luego no realizó la acción, sino que le ocurrió: a eso le llamamos voz media. En *Se puso la bufanda*, ella se puso la bufanda a sí misma de modo consciente y se la podría haber puesto a un amigo, así que se trata de un reflexivo; como ya tenemos un CD, *la bufanda*, *se* es CI. Compara *Se lavó las manos* con *Se lavó*; en ambas ella se lavó a sí misma de modo consciente y podía haber lavado a otro; en la primera lo lavado son las manos, con lo que el PRef hace de CI; en la segunda lo lavado es ella misma, con lo que el PRef hace de CD.

Se perdió en el bosque.	Se puso la bufanda.	Se lavó las manos.	Se lavó.
NP VM SP-CC	PRef/CI NP SN-CD	PRef/CI NP SN-CD	PRef/CD NP
SV-SPV	SV-SPV	SV-SPV	SV-SPV
O. Simple SO: Él	O. Simple SO: Ella	O. Simple SO: Ella	O. Simple SO: Ella

En *Se tiró al suelo* la acción es realizada conscientemente por ella, y ella podría haber tirado a otra persona, así que es PRef CD; sin embargo, en *Se cayó al suelo* la acción no es consciente, sino algo que le pasa al sujeto: voz media. En *Se tiró la bebida encima* la acción es accidental, así que tenemos una voz media.

Se tiró al suelo.	Se cayó al suelo.	Se tiró la bebida encima.
PRef/CD NP SP-CC L	NP vm SP-CC L	NP vm SN-CD S Adv-CC L
SV-SPV	SV-SPV	SV-SPV
O. Simple SO: Ella	O. Simple SO: Ella	O. Simple SO: Ella

Se levantó es una acción consciente y *Se despertó* inconsciente, de modo que la primera es reflexiva (PRef CD) y la segunda voz media: piensa que en la tienda compras despertadores, porque no está en tu mano despertarte, pero nadie compra levantadores porque levantarte depende de ti. En *Se bebió toda la leche* puedo quitar el *se* sin que cambie el significado; el *se* no indica *a quién bebió la leche*, está sólo para dar énfasis: dativo ético; es muy habitual este uso en los verbos de comer y beber.

Se levantó.	Se despertó.	Se bebió toda la leche.
PRef/CD NP	NP vm	Dat ét NP SN-CD
SV-SPV	SV-SPV	SV-SPV
O. Simple SO: Ella	O. Simple SO: Ella	O. Simple SO: Ella

Se mareó es una voz media, como todos los verbos que indican lo que te sucede, y que muchas veces tienen que ver con los sentimientos o los sentidos, como *Se aburrió*, *Se agobió* o *Se divirtió*. *Se puso la bufanda a los niños* se transforma, si pongo *bufanda* en plural, en *Se pusieron las bufandas a los niños*; como el sujeto, *la bufanda*, no realiza la acción, sino que le es realizada por alguien, los profesores o los padres, por ejemplo, se trata de una pasiva refleja; dado que algunos hablantes dicen *Se puso las bufandas a los niños*, a veces se analiza como impersonal.

Se mareó.	Se agobió.	Se puso la bufanda a los niños.
NP vm	NP vm	NP pas ref — SP-CI
SV-SPV	SV-SPV	SV-SPV — SN-Suj — SV-SPV
O. Simple SO: Ella	O. Simple SO: Ella	O. Simple

Se asomó al balcón es PRef CD porque ella se asomó a sí misma conscientemente y podía haber asomado a alguien. En *Se metió las manos en los bolsillos* podía haber metido las manos en los bolsillos a otro, pero se las metió a sí misma conscientemente, así que tenemos un PRef; como el CD es *las manos*, *se* es CI. En *Se compraron unos pantalones* entiendo que el sujeto omitido es *ellas*, que podían haber comprado los pantalones para otros y que realizaron la acción conscientemente, por lo que se trata de un PRef CI. Puede entenderse también que los pantalones fueron comprados por alguien, y analizarse la oración como pasiva refleja. Tampoco es descartable el Dat Ét.

Se asomó al balcón.	Se metió las manos en los bolsillos.	Se compraron unos pantalones.
PRefCD — NP — SP-CC L	PRefCI — NP — SN-CD — SP-CC L	PRefCI — NP — SN-CD
SV-SPV	SV-SPV	SV-SPV
O. Simple SO: Ella	O. Simple SO: Ella	O. Simple SO: Ellas

Se lo contaron ayer es una muestra de *se* sustituto de *le*, CI: *se* significa *a él* o *a ella*, y si no aparece como *le* es porque tiene un *lo* a continuación. *Se sirvieron refrescos y cervezas en la conferencia* tiene un sujeto que no realiza la acción; esas bebidas fueron servidas conscientemente por alguien, de modo que tenemos una pasiva refleja. También puede entenderse un sujeto omitido, *ellos*: entonces *se* sería un PRef CI, si cada uno se sirvió la bebida a sí mismo, o un PRec CI, si cada uno sirvió la bebida a uno de los otros. *Se lo devolvieron manchado* es otro caso de sustituto de *le* y, si quitamos *lo* nos queda *Le devolvieron manchado el pañuelo*.

Se lo contaron ayer.	Se sirvieron refrescos y cervezas en la conferencia.	Se lo devolvieron manchado.
SN CI — SN CD — NP — S Adv CC Tpo	NP pas ref — SP-CC L	SN CI — SN CD — NP — S Adj-C Pvo
SV-SPV	SV-SPV — SN-Suj — SV-SPV	SV-SPV
O. Simple SO: Ellas	O. Simple	O. Simple SO: Ellas

En *Se miraron a la cara* cada uno miró al otro a la cara y fue mirado por el otro, de modo que tenemos un uso recíproco; *a la cara* no responde a las preguntas de CD ni de CI, pero sí podemos decir *Ellos fueron mirados a la cara*: *se* es PRec CD. Sin embargo en *Se miraron las caras* lo mirado son *las caras*, que hace de CD, así que *se* pasa a ser el CI. *Se pudrieron las frutas* es de nuevo algo que ocurre solo, por el paso del tiempo, por su propia naturaleza, sin que nadie lo haga: voz media.

Se miraron a la cara.	Se miraron las caras.	Se pudrieron las frutas.
PRec CD — NP — SP-CC M/L	PRec CI — NP — SN-CD	NP vm
SV-SPV	SV-SPV	SV-SPV — SN-Suj
O. Simple SO: Ellas	O. Simple SO: Ellas	O. Simple

En *Se encontraron con su entrenadora por casualidad* tenemos algo que ocurre al sujeto, *ellos*, pero no algo que ellos hagan, ni que alguien les haga, sino algo que les pasa por casualidad: voz media. Sin embargo en *Se encontraron con su entrenadora para la preparación del partido*, entendemos que han quedado antes, que es una acción consciente; no podemos decir *Ellos se encontraron a sí mismos con su entrenadora para la preparación del partido*, de modo que no hay posibilidad de que sea reflexivo; tampoco podemos decir *Ellos encontraron con su entrenadora el uno al otro*, así que descartamos la reciprocidad. Uso pronominal.

Se encontraron con su entrenadora por casualidad.
NP vm   SP-C Rég   SP-CC M
SV-SPV
O. Simple SO: Ellos

Se encontraron con su entrenadora para la preparación del partido.
NP pron   SP-C Rég   SP-CC fin
SV-SPV
O. Simple SO: Ellos

Se enamoró de ella nos muestra un pronombre que no podemos sustituir por otro, porque no tiene sentido *Él te enamoró de ella*; dado que la acción no es consciente, porque nadie elige de quién se enamora, tenemos una voz media. *Se estudió todos los ejemplos* es otro caso en el que la oración significa exactamente lo mismo si quito *se*, que sólo aporta expresividad: dativo ético. *Se aburría de tanta televisión* es, como hemos visto, una acción que sucede al sujeto, no que él realice conscientemente; si divertirse o aburrirse fuera voluntario siempre elegiríamos divertirnos y tú ahora te estarías divirtiendo muchísimo con este libro.

Se enamoró de ella.
NP vm   SP-C Rég
SV-SPV
O. Simple SO: Él

Se estudió todos los ejemplos.
Dat Ét   NP   SN-CD
SV-SPV
O. Simple SO: Ella

Se aburría de tanta televisión.
NP vm   SP-C Rég
SV-SPV
O. Simple SO: Ella

Se sentía querida es una acción que ella no realizaba, sino que experimentaba, pero ella *no era sentida por los demás*, así que no tiene significado pasivo: voz media. *Se acordó de tus consejos*: a veces mis alumnos dicen que la acción de acordarse es voluntaria; ojalá, no tendrías que estudiar exámenes, bastaría con que decidieras recordar lo que se explicó en clase; otra voz media. *Se imaginaba un mundo mejor* es, de nuevo, un ejemplo de un *se* que se puede quitar sin variar el significado de la oración (dativo ético); también admitiría la voz media, dando a entender que era algo que le pasaba sin buscarlo, o el análisis como pronominal, dado que alguien puede imaginarse cosas a propósito: si tuviéramos un *Se imaginó en el campo*, el significado sería *Se imaginó a sí misma en el campo*, y tendríamos un PRef CD.

Se sentía querida.
NP vm   S Adj-C Pvo
SV-SPV
O. Simple SO: Ella

Se acordó de tus consejos.
NP vm   SP-C Rég
SV-SPV
O. Simple SO: Ella

Se imaginaba un mundo mejor.
Dat Ét   NP   SN-CD
SV-SPV
O. Simple SO: Ella

Se empeñó en sus ideas es una acción consciente, pero ella no puede *empeñar en sus ideas a otro*, de modo que es pronominal. *Se ocupó del restaurante* ha de ser pronominal por descarte: tiene un sujeto omitido, *ella*, que realiza la acción conscientemente, y no puede ser realizada sobre otro: no puede *ocupar del restaurante a su hermano*. Sin embargo, sí puede *encargar del restaurante a su hermano*, del mismo modo que se encarga a sí misma de él, así que en *Se encargó del restaurante* tenemos un pronombre reflexivo; no obstante, alguien podría entender que *encargar a otro de algo* tiene un significado ligeramente distinto de *encargarse uno mismo de algo*, de modo que también tiene sentido el análisis como pronominal.

Se empeñó en sus ideas.	Se ocupó del restaurante.	Se encargó del restaurante.
NP pron — SP-C Rég	NP pron — SP-C Rég	PRef CD — NP — SP-C Rég
SV-SPV	SV-SPV	SV-SPV
O. Simple SO: Ella	O. Simple SO: Ella	O. Simple SO: Ella

Ojo con *Me animó a participar*, porque cuando se empieza con los usos especiales de los pronombres personales átonos los estudiantes soléis dar por hecho que todos los usos son especiales; sin embargo, aquí no hay coincidencia entre el sujeto y el complemento, no hay un *él se* o un *yo me*, así que *me* es simplemente un PP CD. Compárala con *Se animó a participar*. En *Se adueñó del castillo* ella no puede *adueñar del castillo a otro* y la acción es consciente, de modo que tenemos un verbo pronominal. Lo mismo ocurre en *Se quejaba de la comida*: es una acción consciente y ella no puede *quejar a otro de la comida*.

Me animó a participar.	Se animó a participar.	Se adueñó del castillo.	Se quejaba de la comida.
SN CD — NP — SP CRég	NP vm — SP CRég	NP pron — SP-C Rég	NP pron — SP-C Rég
SPV	SPV	SV-SPV	SV-SPV
O. Compuesta SO: Ella	O. Compuesta SO: Ella	O. Simple SO: Ella	O. Simple SO: Ella

Otro ejemplo de pronominal es *Se inmiscuyó en asuntos turbios*, que es una acción consciente que no puede ser realizada sobre otro, porque no puedes *inmiscuir a otro en algo*. Tampoco puedes *rebelar a otro contra una norma*, y la acción es consciente: pronominal. En *Se consagró al arte* tenemos un sujeto omitido, *ella*, que realiza la acción conscientemente; como también podría consagrar a su hijo al arte, o consagrar sus esfuerzos al arte, comprobamos que es PRef, en este caso, de CD.

Se inmiscuyó en asuntos turbios.	Se rebeló contra aquella norma.	Se consagró al arte.
NP pron — SP-C Rég	NP pron — SP-C Rég	PRef CD — NP — SP-C Rég
SV-SPV	SV-SPV	SV-SPV
O. Simple SO: Ella	O. Simple SO: Ella	O. Simple SO: Ella

2 Oraciones compuestas

2.1 Proposición

Es muy habitual que el profesor use distintas palabras para nombrar lo que te pide que analices: unas frases, unas oraciones o unas proposiciones. Frase es un término de andar por casa y no sirve para el estudio. Oración es el fragmento de texto entre dos puntos, o entre la primera palabra de un párrafo y un punto. Así que una oración puede tener muchos verbos. Cada uno de esos verbos, con sus complementos y su sujeto, si los tiene, forman una proposición.

Entonces, ¿qué es una proposición? Un conjunto de palabras que se organizan en torno a un verbo. Es decir, que toda proposición tiene predicado y sujeto (salvo que sea impersonal). Cuando tengas distintos verbos, tienes distintas proposiciones, cada una con su propio sujeto y su propio predicado.

Algunas gramáticas llaman oraciones compuestas a las que están formadas por proposiciones coordinadas y complejas a las que presentan relaciones de subordinación. Yo prefiero llamarlas a todas compuestas.

Lo primero que hacemos para analizar una oración compuesta es subrayar los verbos. A continuación metemos los nexos en un círculo. Después marcamos de dónde a dónde llega cada proposición y colocamos corchetes al principio y al final. Después establecemos la relación entre las proposiciones. Es decir, si tenemos tres proposiciones, A, B y C, determinamos la relación que hay entre A y B, B y C y A y C. Sólo después comenzamos a analizar.

El verbo principal no lleva un nexo subordinante; los subordinados sí. Si tenemos más nexos de los que necesitamos hay que encontrar una respuesta antes de analizar, porque un nexo no va solo, sino que une sintagmas o proposiciones. La respuesta puede ser que tenemos un verbo omitido, como en *Baila mejor que su hermano*. Sólo podemos analizar esta oración si escribimos el verbo omitido: *Baila mejor que su hermano baila*.

También puede que tengamos dos nexos porque cada uno nos indique una relación distinta; en *Me encanta que me escuches y que me hables*, *hables* tiene dos nexos delante: *y* sirve para indicar que *hables* es coordinado de *escuches*; *que* sirve para indicar que es subordinado de *encanta*. También puede ser que el nexo, si es coordinante, una dos sintagmas y no dos proposiciones, como en *Es alto y rubio*.

A veces nos encontramos un verbo que no lleva nexo delante, pero no identificamos como principal: eso puede deberse a que las proposiciones están yuxtapuestas entre sí o a que uno de los verbos va en infinitivo, gerundio o participio. Los verbos en forma no personal no necesitan nexo y siempre son subordinados.

2.2 Yuxtapuestas

Existen tres tipos de relaciones entre dos proposiciones: coordinadas, subordinadas y yuxtapuestas. Las yuxtapuestas se sitúan una al lado de otra sin un nexo que las junte.

No me grites, me estás rayando.		Las personas no cambian, sólo envejecen.	
P1 yuxt	P2 yuxt	P1 Yuxtapuesta	P2 Yuxtapuesta
O. Compuesta		O. Compuesta	

2.3 Coordinadas

Las proposiciones coordinadas se localizan por su nexo y se analizan siempre a la misma altura, nunca una debajo o encima de otra. El nexo no pertenece a ninguna de las dos: queda aparte. Lo más práctico, aunque puede discutirse, es considerar que hay cinco tipos de coordinadas.

Copulativas. Existe una relación entre las ideas, pero el hablante no ve preciso señalarla. Nexos: *y, e, ni, ni...ni, además de que*. Son las que usamos más.

Fíjate en que el NP de la primera es *se estropeó* y lleva en medio un PP CI. Los nexos cop son *y, ni...ni*.

Se nos estropeó el coche	y	tuvimos que empujar.		Ni lo sé	ni	me importa.
NP SN CI · NP vm · det · N · NV				SN CD · NP · SN CI · NP		
SPV · SNS · SPV				SPV · SPV		
P1 · NXO cop · P2 SO: Nosotros				NXO cop · P1 SO: Yo · NXO cop · P2 SO: Eso		
O. Compuesta				O. Compuesta		

Adversativas. Señalan una oposición entre el significado de las proposiciones. Nexos: *mas* (sin tilde, equivalente a *pero*), *pero*, *aunque* (solo cuando sigue indicativo), *sin embargo, no obstante, antes bien*.

Aunque	parecía difícil,	lo conseguiste.		Se sacaron el carnet pronto	pero	se lo dieron mucho después.
cóp · SAdj At · SN CD · NP				NP pron · SN CD · SAdv CCT · SN CI · SN CD · NP · SAdv CCT		
SPN · SPV				SPV · SPV		
NXO advers · P1 SO: Eso · P2 SO: Tú				P1 SO: Ellos · NXO advers · P2 SO: Ellos		
O. Compuesta				O. Compuesta		

Disyuntivas. Dan a elegir: o una, o la otra. Nexos: *o, u, o...o, o bien... o bien*.

O	llueve pronto	o	se arruinará la cosecha.		¿Presentaron a tiempo el recurso	o	se retrasaron?
NP imp · SAdv CCT · NP vm · det · N					NP · SAdv T/M · SN CD · NP vm		
SPV · SPV · SNS					SPV · SPV		
NXO disy · P1 · NXO disy · P2					P1 SO: Ellos · NXO disy · P2 SO: Ellos		
O. Compuesta					O. Compuesta		

Explicativas. La segunda repite lo mismo que la primera, pero con otras palabras. Nexos: *es decir (que), o sea (que), esto es (que), o lo que es lo mismo (que)*.

Padece una cardiopatía congénita,	es decir,	nació con una enfermedad del corazón.
NP · SN CD		NP · SP CCM
SPV		SPV
P1 SO: Él	NXO explic	P2 SO: Él
O. Compuesta		

Distributivas. Unas veces se cumple una proposición y otras veces otra. Nexos: *ya... ya, tan pronto... como*. Existen otros nexos, pero no se usan casi nunca. Estas proposiciones apenas se emplean porque han sido sustituidas por las copulativas. *Ya llueve, ya sale el sol* son dos proposiciones distributivas, pero *Un rato llueve y otro sale el sol* son copulativas y *un rato* y *otro* son CCT.

Tan pronto se aman como se odian.				Ya echan a correr ya se quejan de cansancio.		
PRec/CD NP		PRec/CD NP		NP	NP pron	SP CRég
NXO distrib	P1 SO: Ellos	NXO distrib	P2 SO: Ellos	SPV		SPV
				nexo dist P1 SO: Ellos		nexo dist P2 SO: Ellos
O. Compuesta				O. Compuesta		

Además de coordinar proposiciones, estos nexos pueden coordinar dos predicados o cualquier tipo de sintagmas, siempre que los sintagmas coordinados tengan la misma función. En esos casos ponemos debajo el tipo de sintagma (SN, SP, SAdv, SAdj) y dentro de la caja ponemos de nuevo cada uno de los sintagmas coordinados.

Las expresiones escatológicas, es decir, las groserías, son inadecuadas.					Parece inteligente pero distraído.		
SN1	NXO explic	SN2	Cóp	S Adj-Atrib	SAdj1	NXO advers	SAdj2
SN-Suj			SV-SPN		Cóp	S Adj-Atrib	
O. Simple					SV-SPN		
					O. Simple SO: Él		

Compré muchas peras verdes, algunos plátanos de Canarias y una piña.				Vienen de Jaén y de Cádiz.		
	SN 1	SN 2	NXO cop SN 3		SP1	nexo cop SP2
NP		SN-CD		NP		SP-CC L
SV-SPV				SV-SPV		
O. Simple SO: Yo				O. Simple SO: Ellos		

Fíjate en la oración siguiente. *Agradable* y *de buen corazón* van coordinados, pero son dos sintagmas distintos. Eso puede suceder siempre que desempeñen la misma función, en este caso, atributo. Eso sí, debajo de atributo no escribo ningún tipo de sintagma, puesto que contiene dos distintos. Lo mismo pasa en el siguiente ejemplo.

Es agradable y de buen corazón.				Lo hizo deprisa, pero con atención.			
	SAdj	nexo cop	SPrep		SAdv	nexo advers	SP
Cóp		Atrib		SN/CD	NP		CCM
SV-SPN				SV-SPV			
O. Simple SO: Ella				O. Simple SO: Ella			

2.4 Subordinadas

Una proposición subordinada sustituye a un sintagma. Tenemos cinco sintagmas. Los sintagmas predicados no pueden ser sustituidos por una proposición. En cuanto a los SP, están formados por una preposición más un régimen, que puede ser un SN, un SAdv o un SAdj. Cuando se realiza una sustitución por una proposición subordinada, ésta sustituye a ese SN o SAdv (no al SAdj), pero mantiene la preposición. De modo que sólo tres sintagmas pueden ser sustituidos por una proposición subordinada, el SN, el SAdj y el SAdv. Por eso tenemos tres tipos de subordinadas: proposiciones subordinadas sustantivas (PSS), que sustituyen a un SN, proposiciones subordinadas adjetivas (PSAdj), que sustituyen a un SAdj y proposiciones subordinadas adverbiales (PSAdv), que sustituyen a un SAdv.

Las PSS pueden desempeñar todas las funciones de un SN o de un SP (sujeto, CD, CRég, CAdj…). Las PSAdj siempre son CN y siempre salen del sintagma nominal de su antecedente. Las PSAdv hacen función de circunstancial y suelen salir del SPV, si bien estudiaremos excepciones.

Las proposiciones subordinadas tienen una función con respecto de la principal, es decir, que trabajan para ella: pueden trabajar de sujeto, de CD, de CN, de Atrib…

Las subordinadas salen siempre de la proposición principal, para la que trabajan.

El nexo va dentro de la subordinada.

A veces te surgirán dudas sobre qué proposición es la principal y cuál es la subordinada. No depende de cuál te parezca más importante por el sentido: la subordinada es la que lleva un nexo subordinante. La que no lo lleva es la principal.

El truco para analizar cualquier compuesta es convertirla en simple. Las coordinadas quedan transformadas en simples desde el momento en el que las dividimos en dos proposiciones situadas a la misma altura. Las subordinadas requieren un poco más de trabajo.

2.4.1 Proposiciones subordinadas adjetivas (PSAdj)

Estas proposiciones sustituyen a un SAdj. Siempre vienen introducidas por un relativo y complementan a un nombre, su antecedente, de cuyo SN salen.

Debes memorizar: las proposiciones subordinadas adjetivas salen del SN de su antecedente. Nunca salen de un predicado o de un SP, porque siempre hacen de CN.

Algunas gramáticas incluyen entre las PSAdj las de participio, como *Ésas son las ideas ligadas por los filósofos al progreso*. Se trata, por supuesto, de una opción válida, pero me parece un poco complicada, de modo que te recomiendo que consideres *ligadas por los filósofos al progreso* como un SAdj, con sus complementos. Por si acaso, aquí tienes las dos versiones:

Ésas son las ideas ligadas por los filósofos al progreso.						Ésas son las ideas ligadas por los filósofos al progreso.			
		N	SPCAdj	SPCAdj			NV	SP CAg	SP CI
	det	N	SAdjCN					SPV	
	Cóp		SN Atrib			det	N	PSAdj SO: Las ideas	
SNS			SPN			Cóp		SN Atrib	
		O. Compuesta				SNS		SPN	
								O. Compuesta	

El relativo puede tener tres categorías distintas:

Pronombre: *que, el que, el cual, quien*.

El cual siempre funciona como pronombre relativo y siempre introduce una PSAdj (al menos en el nivel de dificultad normal para un alumno de Secundaria). Los demás pueden introducir otras proposiciones, así que, para asegurarnos de que tenemos un pronombre relativo, sustituimos el que aparezca por *el cual* o cualquiera de su variantes (*el cual, la cual, lo cual, los cuales, las cuales*). Si la sustitución es correcta es que estamos ante un pronombre relativo que introduce una PSAdj.

Por ejemplo, si tenemos *No me pises, que llevo chanclas*, resulta imposible sustituir por *No me pises, el cual llevo chanclas*. Si tenemos *Quiero que te pongas la ropa* no podemos sustituir por *Quiero el cual te pongas la ropa*. Pero si sale *No manches la ropa que te lavaste*, puedo decir también *No manches la ropa la cual te lavaste* sin que la oración se vuelva incorrecta o cambie de significado. En este caso, tengo un pronombre relativo. Fíjate en que tengo que poner *la cual*. No puedo decir *la ropa las cuales te lavaste* ni *la ropa los cuales te lavaste*. Ello se debe a que el pronombre relativo se refiere a *ropa*, es decir, *ropa* es su antecedente.

Llamamos antecedente al nombre o pronombre con el que concuerda en género y número el pronombre relativo.

Determinante: *cuyo*.

Cuyo y sus variantes son el único determinante relativo que existe y siempre ejerce como tal. Eso quiere decir que cuando aparezca no tienes que hacer ninguna prueba: introduce una PSAdj con absoluta seguridad.

Cuyo no concuerda con su antecedente, sino con el nombre al que acompaña, y expresa también una idea de posesión. Para analizar, lo sustituimos por *su*. En *Es un hombre cuyo hermano trabaja en Cáceres* analizamos *Es un hombre* y *Su hermano trabaja en Cáceres*.

Adverbio: *donde*, (*cuando*), (*como*).

Donde es muy habitual, pero los otros dos usos son raros. Para que se trate de adverbios relativos tienen que poder ser sustituidos por una preposición más *el cual*. *Es el país donde nací* significa *Es el país en el cual nací*. Es más raro encontrarse *Es la manera como se hace* (*Es la manera de la cual se hace*) o *Fue el verano cuando nos conocimos* (*Fue el verano en el cual nos conocimos*); en estos casos *cuando*, *como* y *donde* son adverbios relativos, introducen una PSAdj y actúan en ella como CC.

Asegúrate de que hay antecedente, porque si no nunca tenemos una PSAdj. En *Ponlo donde te dije* no puedo decir *Ponlo en el cual te dije* porque *donde* no tiene antecedente. El análisis es ahora totalmente distinto. Tengo una PSAdv y *donde* ya no es un adverbio relativo, sino una conjunción que hace de nexo.

En todos los casos **el relativo tiene un doble papel** dentro de su proposición. Por una parte hace de nexo y por otra tiene función. Si es un pronombre, tendrá la función propia de un SN o de un SP: sujeto, CD, CI, CRég, CC... Si es un determinante siempre determinará al nombre con el que concuerda. Si es un adverbio funcionará siempre como CC.

Un error muy habitual es considerar al pronombre relativo como sujeto antes de hacerle pruebas; suele darse porque siempre va al principio de su proposición y los alumnos tendéis a pensar que el sujeto va delante del verbo. Como verás en los ejemplos, su función puede ser muy variada.

Para analizar una PSAdj debes convertirla en dos oraciones simples. En *Se habló de las armas que se usaron en aquel conflicto* identificamos la PSAdj; el relativo es *que* y el antecedente *las armas*. Analizamos por un lado la proposición principal, sabiendo que la adjetiva saldrá del SN de su antecedente. En cuanto a la PSAdj, para hallar la función del relativo, debes sustituirlo por su antecedente, así que te queda *Las armas se usaron en aquel conflicto*; como en esta proposición *las armas* hace de sujeto, el pronombre relativo *que* ejerce de sujeto.

En *Encontraron vasijas que se consideraron fenicias* debes analizar *Encontraron vasijas* y *Las vasijas se consideraron fenicias*; en *Subastaron los cuadros que pintaste* debes analizar *Subastaron los cuadros* y *Los cuadros pintaste*, que debes reordenar como *Pintaste los cuadros*, para no hacerte líos. En *Pintaste los cuadros* el sujeto es *tú* y el CD *los cuadros*; como *los cuadros* está sustituyendo a *que*, el relativo hace aquí de CD. La función que tendría el antecedente en esas proposiciones es la que debes poner al relativo.

[Diagramas sintácticos:]

- Se habló de las armas que se usaron en aquel conflicto. (O. Compuesta)
- Encontraron vasijas que se consideraron fenicias. (O. Compuesta SO: Ellos)
- Subastaron los cuadros que pintaste. (O. Compuesta SO: Ellos)
- Se localizó a los ingenieros que abandonaron en la sierra. (O. Compuesta)

Si la PSAdj viene precedida de una preposición, ésta va siempre dentro de la PSAdj y sirve para indicar la función del relativo. Una PSAdj jamás sale de un SP: siempre sale del SN de su antecedente.

El cual o *el que* son pronombres, con las dos palabras, de modo que no debes analizarlos como determinante y núcleo.

En *Ésa es la novela de la que te hablé* las proposiciones que tengo que analizar son *Ésa es la novela* y *Te hablé de la novela*. *De la novela* hace de CRég: ésa es la función del relativo. En *Cerraron la empresa a la que se atribuía el vertido*, cuando sustituimos el relativo por el antecedente queda *A la empresa se atribuía el vertido* o, reordenándola, *El vertido se atribuía a la empresa*; como *a la empresa* es CI, el pronombre relativo es CI.

[Diagramas sintácticos:]

- Ésa es la novela de la que te hablé. (O. Compuesta)
- Cerraron la empresa a la que se atribuía el vertido. (O. Compuesta SO: Ellos)
- Son los marineros por quienes fueron descubiertas las islas. (O. Compuesta SO: Ésos)
- Valoro la lealtad con la que te comportas. (O. Compuesta SO: Yo)
- Se anunció el nombre de la universidad a cuyos científicos se deben esas vacunas. (O. Compuesta)
- El móvil cuya funda compraste se rompió. (O. Compuesta)

Se difundieron noticias de un país donde se protegía a los elefantes.

				SAdvCCL nexo	NP imp	SPCD
					SPV	
			det	N	PSAdjCN	
		E		SN		
NP pas ref	N		SPCN			
SPV			SNS			

O. Compuesta

Mira el coche del que se baja.

			E SN nexo		
			SPCCL	Dat Él	NP
				SPV	
	det	N	PSAdjCN SO: Él		
NV			SNCD		
			SPV		

O. Compuesta SO: Tú

A veces me preguntan si las PSAdj salen del sujeto o del predicado. Salen del SN de su antecedente. Si el antecedente es el núcleo del SNS, salen del SNS, si es un complemento del verbo, salen del predicado (aunque no directamente: sólo pueden salir directamente del SN de su antecedente). Aquí tienes algunas que salen del SNS.

Nos preocupa la pobreza que se da allí.

				NV vm	SAdv CCLug
			SNS nexo	SPV	
1	NP	det	N	PSAdjCN	
SPV			SNS		

O. Compuesta
1: CD o CI (v. afección psíquica)

El vecino al que saludamos es de Vigo.

		E SN nexo				
		SP CD	NP			
			SPV		E	SN
det	N	PSAdjCN SO: Nosotros	Cóp	SP Atrib		
		SNS		SPN		

O. Compuesta

Los políticos que se corrompieron no han sido expulsados del partido.

		PRef CD	NP			det	N
	SNS nexo		SPV			E	SN
det	N	PSAdjCN	SAdv CCneg	NV		SP CCL	
SNS				SPV			

O. Compuesta

La carne que se pudrió apesta.

			NV vm	
		SNS	SPV	
det	N	PSAdjCN	NP	
		SNS	SPV	

O. Compuesta

Las PSAdj pueden ser especificativas o explicativas, pero esta diferencia, que es muy importante con respecto al significado, no tiene relevancia para el análisis sintáctico. Las especificativas distinguen y van sin comas; las explicativas no distinguen y van entre comas.

Lo de distinguir se explica mejor con ejemplos. En *Los alumnos que aprobaron el examen fueron felicitados* decimos que la PSAdj distingue porque no todos los alumnos fueron felicitados, sólo aquéllos que aprobaron el examen. En *Los alumnos, que aprobaron el examen, fueron felicitados* entendemos que todos los alumnos aprobaron y que todos los alumnos fueron felicitados, con lo cual no se distingue entre unos y otros. Aquí tienes dos explicativas: su análisis es idéntico para una especificativa.

Los alumnos, que aprobaron el examen, fueron felicitados.

			NV	SN CD	
	SNS nexo		SPV		
det	N	PSAdjCN		NV	
	SNS			SPV	

O. Compuesta

Se repararon todos los coches, que habían llegado defectuosos.

				NV	SAdj PVO
	SNS nexo			SPV	
NV pas ref	det	det	N	PSAdjCN	
SPV				SNS	

O. Compuesta

34

2.4.2 Proposiciones subordinadas sustantivas (PSS)

Una proposición subordinada sustantiva sustituye a un SN y puede realizar las funciones propias de un SN o un SP (siempre que vaya precedida de la preposición necesaria).

La mejor prueba para identificar una PSS es que puede sustituirse por *una persona* o *una cosa*. Si tenemos *Quiero que te quedes*, *que te quedes* puede ser sustituido por *una cosa*, *Quiero una cosa*, manteniendo el sentido original de la oración. *Compré el libro que me encargaste* no puede ser reducida a *Compré el libro una cosa*. *Corre, que regalan fruta* no puede ser reducida a *Corre una cosa*.

A veces, al hacer la sustitución la oración resultante tiene sentido, pero un sentido distinto del original. En ese caso no tenemos una PSS. Por ejemplo, en *No me grites, que me molesta*, podríamos sustituir por *No me grites una cosa*, pero *que me molesta* no es la cosa que me gritas, así que la sustitución no es adecuada.

Normalmente las PSS llevan una conjunción que hace de nexo y no tiene otra función que unir. Los nexos más habituales son *que* y *si*: *Quiero que vengas*; *No sé si iré*. A veces tenemos una locución conjuntiva (un grupo de palabras que funciona como una conjunción) como nexo: *Me preocupa el hecho de que no se queje*.

Que es la conjunción más habitual para introducir proposiciones subordinadas, que pueden ser de todo tipo. Nunca olvides hacer la prueba de la sustitución. *Si* suele introducir PSS y PSAdv de condición.

En *No conduzcas si bebes* no podemos sustituir, manteniendo el sentido, por *No conduzcas una cosa* (*si no bebes* no es la cosa conducida), así que no es PSS. En *Dime si conducirás* sí podemos sustituir por *Dime una cosa*, y si conducirás o no es la cosa que vas a decirme, de modo que es PSS. El *que* de las PSS, a diferencia del de las adjetivas, no tiene nunca función: es, simplemente, nexo.

Una duda habitual es qué hacemos cuando encontramos una preposición delante de la PSS: si el nexo es una conjunción (no un interrogativo, ni un relativo), como en los casos que llevamos estudiados, la preposición va siempre fuera de la proposición (y ésta sale de un SP) e indica la función de la PSS.

Hemos puesto ejemplos de PSS sujeto, CD, CRég, CN, CAdj y Atrib. Como ves, cuando viene precedida de preposición, ponemos la función en el SP y no la repetimos en la PSS. A veces la PSS no lleva conjunción. Eso ocurre en tres casos.

2.4.2.1 PSS introducidas por un interrogativo o exclamativo.

El interrogativo que las introduce sirve de nexo, pero además desempeña una función en la PSS: sujeto, CD, CI, CRég…

El interrogativo o exclamativo (tienen la misma forma y funcionan del mismo modo, así que se analizan igual, porque su diferencia es sólo semántica) siempre lleva tilde.

Siempre que un interrogativo introduzca una proposición será una PSS.

A veces un interrogativo o exclamativo no introduce una proposición: eso sucede cuando introduce una interrogativa o exclamativa directa, y en ese caso va acompañado de signos de interrogación o exclamación. *¿Qué quieres?* es una oración simple y en *¿Qué quieres que te diga?* la proposición principal es *Qué quieres*, porque *qué* no funciona como nexo. El interrogativo puede tener tres categorías distintas.

Pronombre: *qué, quién, cuál, cuánto*. Tiene las funciones de un SN o de un SP.

Vamos a analizar paso a paso *Dime qué te preocupa*. En primer lugar subrayamos los verbos (*di* y *preocupa*, sin los pronombres). A continuación buscamos el nexo y lo metemos en un círculo. Se trata de un *qué*, con tilde, de modo que introduce una PSS. Realizamos la sustitución y nos queda *Dime una cosa*. Para averiguar la función de la PSS analizamos *Dime una cosa*, porque siempre analizaremos oraciones simples, que son más sencillas. Puesto que *una cosa* es el CD, la PSS es CD. Ahora tenemos que analizar por dentro *qué te preocupa*. Sustituimos *qué* por *una cosa*. Realizamos la prueba de sujeto. *Dos cosas te preocupa* es incorrecto. Luego *una cosa* es el sujeto: en esta proposición, *qué* hace de sujeto.

Qué haría en aquella situación lo atormentaba. Subrayamos los verbos, *haría* y *atormentaba*. Metemos el nexo en un círculo. Es *qué* y sólo puede introducir una PSS. Realizamos la sustitución. En *Una cosa lo atormentaba*, *una cosa* es el sujeto porque concuerda con el verbo. Así que la PSS es también sujeto: PSSS (ten cuidado con la cantidad de eses y asegúrate de que comprendes qué significa cada una). Ahora vamos a analizar la función de *qué*. Al sustituir en su proposición (*Qué haría en aquella situación*) nos queda *Una cosa haría en aquella situación*, que reordenamos como *Haría una cosa en aquella situación*. El sujeto omitido es *él*. Como una cosa sería hecha por él, *una cosa* es el CD. De modo que ese pronombre *qué* es CD. Las funciones de la proposición y del pronombre no tienen por qué ser la misma, aunque pueden coincidir.

En *No sabe qué dijo*, sustituyo *qué* por *una cosa*: como él dijo una cosa, es CD.

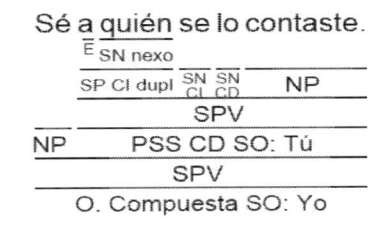

Una de las grandes dudas que surgen en las PSS de interrogativo se da cuando vienen precedidas de una preposición. Esa preposición queda casi siempre dentro de la PSS, que no suele salir de un SP, y nos indica la función del interrogativo. En *Averigua a qué se dedica*, en la sustitución queda *Averigua una cosa* y no *Averigua a una cosa*, de modo que la PSS no sale de un SP. Haciendo las pruebas en *Averigua una cosa* vemos que *una cosa* es el CD, de modo que la PSS tiene como función CD. Cuando analicemos la PSS sustituimos el pronombre por *una cosa* y nos queda *Se dedica a una cosa*. Haciendo las pruebas necesarias vemos que *a una cosa* es el CRég.

En *No sé de qué te quejas* la sustitución nos deja *No sé una cosa*: luego la PSS incluye preposición y hace de CD. La PSS queda *Te quejas de una cosa*, luego el interrogativo hace de CRég.

En *Investigan a quién entregó los datos*, al sustituir la proposición nos queda *Investigan una cosa*, no *Investigan a una cosa*, de modo que la PSS no sale de un SP y es CD. Al analizar la PSS tenemos *Entregó los datos a una persona*; como *a una persona* es CI, *a quién* es CI.

Es raro que la preposición quede fuera de la PSS introducida por interrogativo. Sucede, por ejemplo, con verbos que necesitan CRég. Sabrás que tienes que sacar la PSS de un SP por la sustitución. *Se enteró de qué comías* queda *Se enteró de una cosa*, no *Se enteró una cosa*. *Se informó de a quién escribieron la carta* queda en *Se informó de una cosa*, no en *Se informó una cosa* (analizo esta última como impersonal, aunque podría entenderse que hay un SO *él* y *se* es PRef CD). En *Se enteró de qué comías*, *se* puede analizarse como vm si se enteró por casualidad, como pron si hizo cuanto pudo por enterarse y como PRef CD (más forzado) si consideramos que es la versión reflexiva de *enterar a alguien de algo*.

Determinante: *qué, cuánto*.

Los determinantes siempre acompañan a un nombre. Es muy importante que, antes de analizar, determines la categoría del interrogativo. En *Dime cuántos tienes* es un pronombre. En *Mira qué fácil* complementa a un adjetivo, luego es un adverbio. En *No sé qué libro leeré* complementa a *libro*, que es un nombre, y por tanto es un determinante. Por supuesto, el determinante irá siempre en el SN del nombre al que acompaña.

Qué siempre es invariable, así que hay que averiguar a quién complementa para determinar su categoría. *Qué* funciona de adverbio cuando acompaña a un adjetivo. En *¿Qué quieres?* es pronombre; en *¿Qué disco han pinchado?* es determinante; en *¡Qué fácil resulta!* es adverbio.

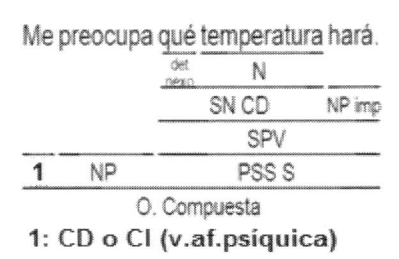

Me preocupa qué temperatura hará.	No sé a qué libro te refieres.	Me indicó en qué calle estaba la tienda.
det/nexo N / SN CD / NP imp / SPV / 1 NP PSS S / O. Compuesta / 1: CD o CI (v.af.psíquica)	E det/nexo N / SN / SP CRég NP pron / SPV / SAdv/CCneg NP PSS CD SO: Tú / SPV / O. Compuesta SO: Yo	E det/nexo N / SN / SP CCL NP det N / SPV SNS / SN/CI NP PSS CD / SPV / O. Compuesta SO: Él

Adverbio: *cuándo, cómo, dónde, cuánto, qué*.

Cuándo, cómo y *dónde* siempre son adverbios interrogativos y siempre funcionan como CC, de tiempo, modo y lugar, respectivamente. *Cuánto* puede ser adverbio, determinante o pronombre, de modo que hay que asegurarse en su contexto de si es variable o invariable.

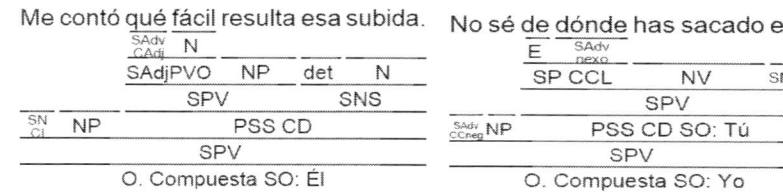

Me contó qué fácil resulta esa subida.	No sé de dónde has sacado eso.	Es un misterio cuándo llegarán.
SAdv/CAdj N / SAdjPVO NP det N / SPV SNS / SN/CI NP PSS CD / SPV / O. Compuesta SO: Él	E SAdv/nexo / SP CCL NV SN CD / SPV / SAdv/CCneg NP PSS CD SO: Tú / SPV / O. Compuesta SO: Yo	det N SAdv CCT NP / Cóp SN Atrib SPV / SPN PSS S SO: Ellos / O. Compuesta

En *Mira cuánto llueve* es imposible decir *cuánto* en plural, así que es adverbio. En *No sé cuántos compré*, *cuántos* va en plural y no acompaña a un nombre, así que tiene que ser pronombre. En *No sé cuánto compré* se puede analizar de ambas formas, según se entienda que *cuánto* es un adverbio que indica cantidad o un pronombre que sustituya, por ejemplo, a *cuánto queso*. Si decidimos que es un adverbio funcionará como CCCant; si decidimos que es un pronombre, como CD. En *Cuánto calor hace* funciona como determinante.

2.4.2.2 Proposiciones adjetivas sustantivadas (PSAdjSust)

Las PSAdjSust funcionan como una PSS, así que pueden sustituirse por *una persona* o *una cosa* y siempre vienen introducidas por los pronombres relativos *el que, la que, lo que, los que, las que, quien, quienes*. Nunca tienen antecedente.

Para identificar estas proposiciones debes seguir los siguientes pasos:
1. Asegúrate de que vienen introducidas por *el que, quien* o sus variantes. Estos pronombres relativos pueden introducir una PSAdj o una PSAdjSust, así que tienes que hacer más pruebas.

2. Si la proposición entera se puede sustituir por *una persona* o *una cosa* estamos ante una PSAdjSust. Si no es posible, el nexo podrá sustituirse por *el cual* o una de sus variantes, y estaremos ante una PSAdj.
3. Si la proposición no tiene antecedente estamos ante una PSAdjSust. Si lo tiene, estamos ante una PSAdj.

Vamos a los ejemplos. En *Avisa a quienes conoces*, encuentro un *quienes*, sin tilde, que introduce una proposición. Por tanto, tiene que ser PSAdj o PSAdjSust. Pruebo con *Avisa a una persona* y es correcto. Pruebo con *Avisa al cual conoces* y no es correcto, porque *al cual* no se refiere a nadie. Luego es PSAdjSust. Para confirmarlo busco el antecedente y no lo encuentro: nueva prueba de que es una PSAdjSust.

Si tengo *Avisa al vecino a quien conoces*, la presencia de *quien* me indica que se trata de una PSAdj o de una PSAdjSust. Hago la prueba de la PSAdjSust, *Avisa al vecino a una persona* y veo que es incorrecto. Hago la prueba de la PSAdj y queda *Avisa al vecino al cual conoces*. Correcto: luego es PSAdj. Para asegurarme, compruebo que el antecedente de *el cual* es *vecino*, de modo que tenemos una PSAdj.

Para analizar las PSAdj sustituimos el relativo por el antecedente. Como en las PSAdjSust no tenemos antecedente, lo sustituimos por *una persona* o *una cosa*. El pronombre relativo siempre tendrá función, además de ejercer como nexo. Su función puede ser cualquiera de las que desempeñan un SN o un SP y no tiene por qué coincidir con la función de la PSAdjSust que introduce.

En *Quienes paseaban por allí eran mayores* tenemos un PSAdjSust equivalente a *Unas personas eran mayores*. La función de la PSAdjSust es sujeto. Para analizar por dentro la PSAdjSust sustituyo el relativo y obtengo *Unas personas paseaban por allí*: *unas personas* es el sujeto, y también, por tanto, el relativo.

En *Sé lo que hicisteis el último verano* tenemos una PSAdjSust que se sustituye por *Sé una cosa*. La proposición es CD. Analizo la subordinada sustituyendo *lo que* por *una cosa*. Me queda *Una cosa hicisteis el último verano* que, reordenada, es *Hicisteis una cosa el último verano*. El relativo es CD.

En *Lo que dices es cierto* tengo una PSAdjSust que puedo sustituir por *Una cosa es cierta*, de modo que es sujeto. Analizo el interior de la PSAdjSust y queda *Una cosa dices*, que se reordena en *Dices una cosa*: ahora *una cosa* es CD, y por tanto el relativo es CD.

Quienes paseaban por allí eran mayores.			
	NP	SP CCL	
SNS nexo	SPV		Cóp SAdj Atrib
PSAdjSust S			SPN
O. Compuesta			

Sé lo que hicisteis el último verano.		
SN CD nexo	NV	SN CCT
	SPV	
NP	PSAdjSust CD SO: Vosotros	
	SPV	
O. Compuesta SO: Yo		

Lo que dices es cierto.		
SNCD nexo	NP	
SPV		Cóp SAdj Atrib
PSAdjSustS SO: Tú		SPN
O. Compuesta		

Si tenemos una PSAdjSust precedida de preposición, casi siempre la preposición queda fuera de la proposición y nos indica la función de la proposición entera, y no del relativo. Imaginemos *Se arrepintió de lo que hizo*. Marcamos los dos verbos y el nexo. Puesto que se trata de *lo que*, tiene que ser PSAdj o PSAdjSust. De las dos, no puede ser PSAdj porque carece de antecedente. Ya sabemos que es una PSAdjSust. Ahora nos preguntamos dónde comienza. Sustituimos por *Se arrepintió una cosa* y *Se arrepintió de una cosa*. La segunda es la correcta. Por tanto, la preposición queda fuera de la PSAdjSust, y el SP del que sale hará de CRég. Luego la proposición es sólo *Lo que hizo*, sin *de*. Ahora tenemos que analizar por dentro la PSAdjSust. Para ello sustituimos el relativo y nos queda *Una cosa hizo* o *Hizo una cosa. Una cosa* hace de CD, por tanto *lo que* es CD.

[Diagramas de análisis sintáctico:]

- Se arrepintió de lo que hizo. — O. Compuesta SO: Él
- Admira a quienes se sacrifican por los demás. — O. Compuesta SO: Ella
- Abrió la puerta con lo que tenía a mano. — O. Compuesta SO: Él
- Se entregaron los premios a quienes más se los merecían. — O. Compuesta
- Fue descubierta la vacuna por quienes se empeñaban en el proyecto. — O. Compuesta
- Aléjate de quienes se meten en problemas. — O. Compuesta SO: Tú
- Conozco al que ganó el premio desde la infancia. — O. Compuesta SO: Yo
- Se controlará la evolución de quienes menos progresen. — O. Compuesta
- Estoy satisfecho de lo que conseguí. — O. Compuesta SO: Yo
- Parecía cerca de lo que deseaba. — O. Compuesta SO: Eso

Para analizar hay que comprender el significado de las oraciones. En *Han investigado a quién robó los cuadros*, han investigado una cosa, la identidad de la persona a la que robaron los cuadros. En *Han investigado a quien robó los cuadros* han investigado a una persona, a la persona que robó los cuadros: sus ingresos, sus antecedentes, su posible coartada...

[Diagramas:]
- Han investigado a quién robó los cuadros. — O. Compuesta SO: Ellos
- Han investigado a quien robó los cuadros. — O. Compuesta SO: Ellos

En *Avisa a quien conoces* encontramos una dificultad especial. Al sustituir en la principal nos queda *Avisa a una persona*. La preposición ha quedado fuera. Por tanto la subordinada queda *Quien conoces* y, sustituyendo, *Conoces una persona*, en lugar de

Conoces a una persona, que sería lo normal. Eso se debe a que no podemos escribir dos veces seguidas la preposición *a*, una para indicar la función de la proposición y otra la del pronombre. En *Es a lo que te arriesgas* la PSAdjSust lleva una preposición delante y no sale de un SP. Esta preposición sirve para que *a lo que* pueda funcionar como CRég. Algo parecido sucede en *Sé de lo que me hablas* o *Me imagino por lo que estás pasando*.

2.4.2.3 PSS con NP en infinitivo

Cuando una proposición lleva el verbo en infinitivo casi siempre es subordinada. Hay algunos casos en los que el infinitivo puede hacer de verbo principal, pero son excepcionales en español. Por ejemplo, eso sucede cuando usamos el infinitivo como imperativo que da una orden válida para todo el mundo, como en *No fumar en esta sala*.

Cuando una subordinada tiene el verbo en infinitivo puede tratarse de una PSS o de una PSAdv. Para probarlo la sustituimos por *una cosa*. Si la sustitución mantiene el significado original es una PSS. En *Me gusta comer patatas*, puedo sustituir por *Me gusta una cosa*. Luego es PSS. En *Al abrir la puerta me encontré con tu primo* no puedo sustituir ni por *Una cosa me encontré con tu primo* ni por *Al una cosa me encontré con tu primo*, así que es PSAdv y no PSS.

Una vez identificada la PSS con NP en infinitivo, debes recordar que no puedes encontrar el sujeto por concordancia, porque el infinitivo y el gerundio no tienen ninguna marca de género, número o persona y por tanto no pueden establecer concordancias. Marca el sujeto como **sujeto de forma verbal no personal**, **SFVnp**. A diferencia de lo que pasa con el SO normal, con el SFVnp no es preciso señalar lo que queda omitido, puesto que no hay concordancia. Este sujeto suele ser el mismo de la principal, aunque no siempre, y es raro que aparezca escrito, pero puede suceder. En *Decidiste arreglar la moto* el sujeto de *decidiste* y el de *arreglar* es *tú*, pero como en el segundo caso no hay posible concordancia no ponemos SNS, sino SFVnp. En *Me gusta comer manzanas* el sujeto de *Me gusta* es la PSS *comer manzanas*, y el de la PSS es *yo*, así que esta vez no coinciden. En ninguno de los dos casos aparece escrito el SFVnp, pero sí aparece en *No quiero llevar yo la caja*.

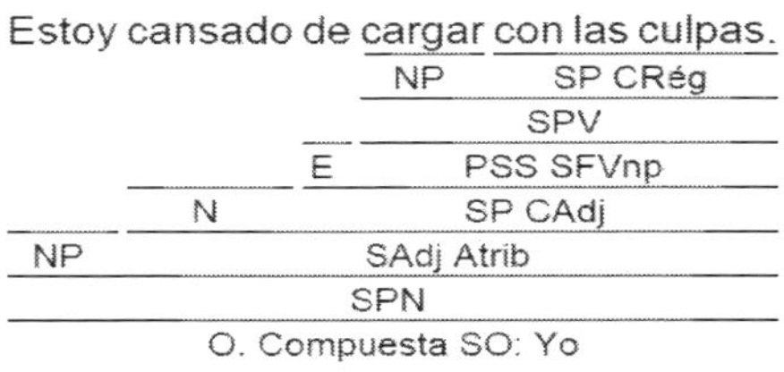

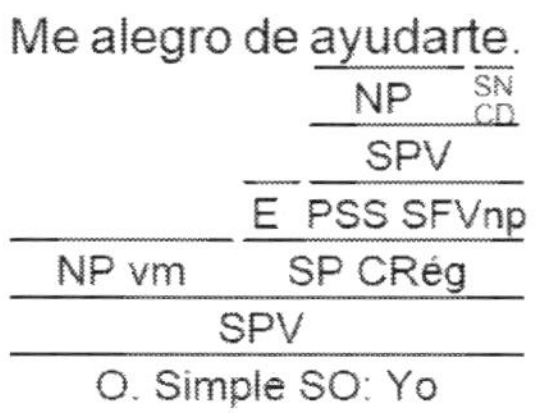

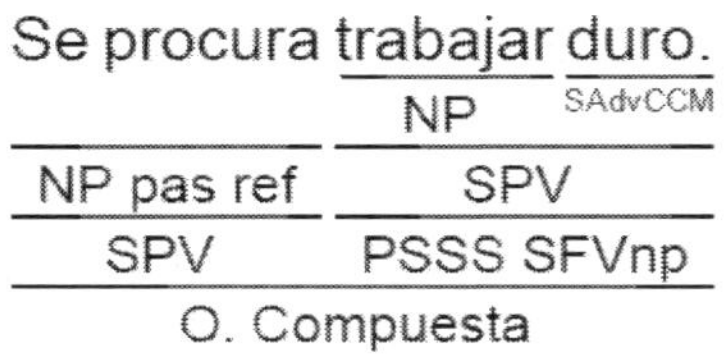

Estoy cansado de cargar con las culpas.				Me alegro de ayudarte.			Se procura trabajar duro.	
		NP	SP CRég		NP	SN/CD		NP SAdvCCM
		SPV			SPV		NP pas ref	SPV
	E	PSS SFVnp		E	PSS SFVnp		SPV	PSSS SFVnp
	N	SP CAdj		NP vm	SP CRég		O. Compuesta	
NP		SAdj Atrib			SPV			
		SPN			O. Simple SO: Yo			
		O. Compuesta SO: Yo						

Cuando al SP del que sale una PSS le corresponde una de las funciones que puede desempeñar una PSAdv, optaremos preferentemente por la adverbial, porque suele ser la opción más seguida por los profesores.

En *Me animó a salir* es PSS CRég. En *He venido a jugar al fútbol* sería SP CCfin y dentro llevaría una PSS, así que es preferible analizarla como PSAdvfin, aunque los dos análisis son adecuados. En *Lo haré antes de que lleguen* se puede analizar como SP CAdv, y dentro de éste una PSS, o como PSAdvT. El segundo análisis es más habitual. En *Lo hizo a pesar de su estatura* lo subrayado es SP CCconces, luego *Lo hizo a pesar de que era poco alto* se podría analizar como un SP CCconces del que dentro sale una PSS, pero recomiendo que lo analices como una PSAdvconces para evitar problemas. Esto puede pasar con el verbo en infinitivo o conjugado.

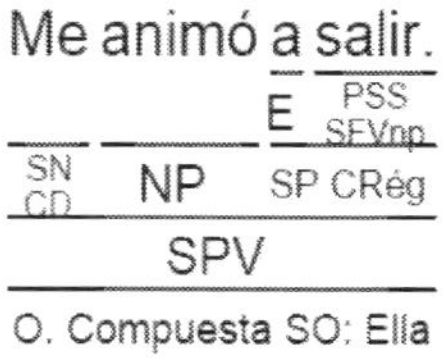

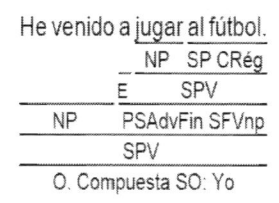

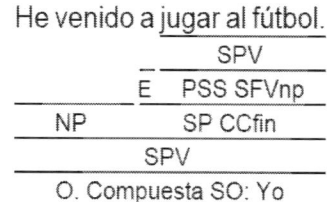

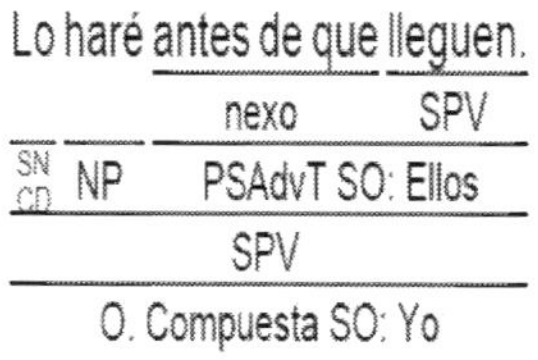

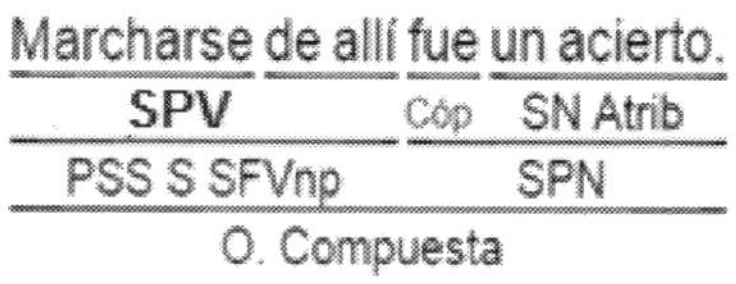

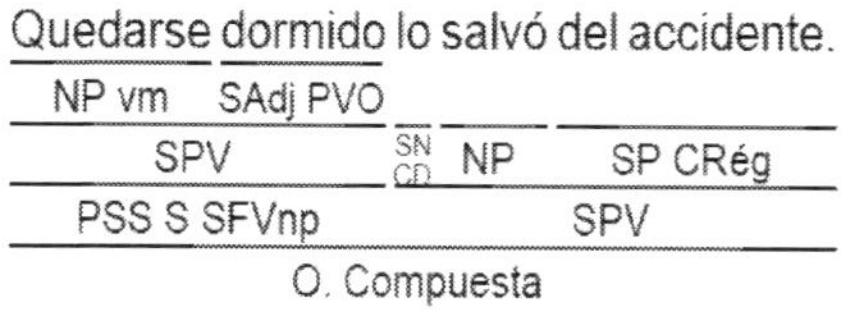

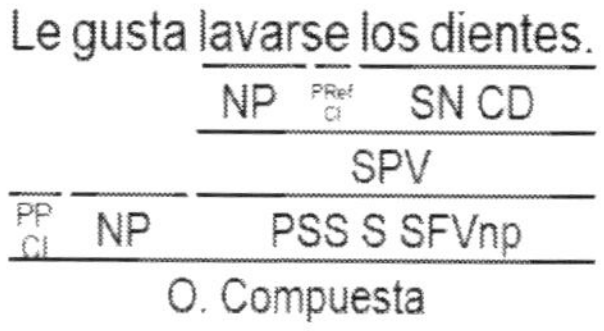

Me animó a salir.			He venido a jugar al fútbol.		He venido a jugar al fútbol.		Lo haré antes de que lleguen.	
	E	PSS SFVnp	NP	SP CRég		SPV	nexo	SPV
SN/CD	NP	SP CRég	E	SPV	E	PSS SFVnp	SN/CD NP	PSAdvT SO: Ellos
SPV			NP	PSAdvFin SFVnp	NP	SP CCfin		SPV
O. Compuesta SO: Ella				SPV		SPV	O. Compuesta SO: Yo	
			O. Compuesta SO: Yo		O. Compuesta SO: Yo			

Marcharse de allí fue un acierto.			Quedarse dormido lo salvó del accidente.			Le gusta lavarse los dientes.		
SPV	Cóp	SN Atrib	NP vm	SAdj PVO			NP PRef/CI	SN CD
PSS S SFVnp		SPN	SPV	SN/CD NP	SP CRég			SPV
O. Compuesta			PSS S SFVnp		SPV	PP/CI	NP	PSS S SFVnp
			O. Compuesta			O. Compuesta		

Si encontramos un *se* hay que conjugar el verbo para poder hacer las pruebas. En *Le gusta lavarse los dientes*, convertimos *Lavarse los dientes* en *Él se lava los dientes* y así podemos averiguar que se trata de un PRef CI. En *Marcharse de allí fue un acierto*, vemos que el *se* es pronominal cuando consideramos *Él se marchó de allí*. En *Quedarse dormido lo salvó del accidente*, vemos que es vm cuando consideramos *Él se quedó dormido*.

2.4.3 Proposiciones subordinadas adverbiales (PSAdv)

Aunque algunas gramáticas recomiendan localizar las proposiciones subordinadas adverbiales (PSAdv) sustituyéndolas por un adverbio, es mejor no hacer ninguna prueba e identificarlas por descarte. Es fácil que el alumno, en una PSAdj como *Los chicos que bailan son divertidos*, sustituya por *Los chicos así son divertidos*, y se confunda. Primero miramos el nexo para ver si es coordinante. En caso de que no lo sea hacemos la prueba de la PSAdj. En caso de que no lo sea hacemos la sustitución por *una persona* o *una cosa* para ver si es PSS. Si todas las pruebas nos dan negativas tenemos una PSAdv. Las PSAdv suelen salir del predicado, pero existen excepciones que veremos luego.

Una vez localizada la PSAdv sí existen pruebas para averiguar de qué tipo es. En total, vamos a estudiar nueve tipos de PSAdv.

2.4.3.1 *PSAdv de modo*

Se localizan preguntando al verbo principal *¿cómo?* El nexo puede ser *como, según, como si, conforme, tal y como....* Las proposiciones con NP en gerundio suelen ser de este tipo, aunque no lo son siempre.

2.4.3.2 *PSAdv de tiempo*

Se localizan preguntando al verbo principal *¿cuándo?* El nexo puede ser *cuando, mientras, apenas, en tanto que, al tiempo que, a medida que, tan pronto como, una vez que, después de que, a la vez que, siempre que...* Las proposiciones con NP en participio, o con infinitivo precedido por *al* suelen ser de este tipo, aunque no siempre.

Proposiciones como *Te lo devolveré antes de que se gasten las pilas* pueden interpretarse como adverbiales o como sustantivas.

2.4.3.3 *PSAdv de lugar*

Se localizan preguntando al verbo principal *¿dónde?* El nexo suele ser *donde*, a veces con una preposición delante.

2.4.3.4 PSAdv de causa

Su nexo equivale a *porque*. Otros nexos habituales son *como* (siempre delante de la proposición principal), *pues, puesto que, que, gracias a que, ya que, en vista de que, como quiera que*.

Algunas gramáticas recomiendan buscarlas preguntando *¿por qué?*, pero no es una buena idea, porque muchas veces no funciona. En la oración *Como estaba fresco corría deprisa*, si preguntamos *¿por qué corría deprisa?* no nos responderá *como estaba fresco*. Pero si hacemos la sustitución del nexo por *porque* nos quedará *Porque estaba fresco corría deprisa*, que tiene el mismo sentido que la original. Así no nos equivocamos.

Como estaba fresco, corría deprisa.	Déjame, que estoy cansado.
Cóp SAdj Atrib	Cóp SAdj Atrib
nexo SPN	nexo SPN
PSAdvCausal SO: Él NP SAdv CCM	NP SN/CD PSAdvCausal SO: Yo
SPV	SPV
O. Compuesta SO: Él	O. Compuesta SO: Tú

Tradicionalmente se dice que van con indicativo, pero te recomiendo que no tengas eso en cuenta. Te encontrarás con oraciones como *Porque lo digas tú no tiene que ser así* que llevan subjuntivo y expresan causa, y también concesión.

Como en todas las PSAdv, asegúrate antes de que no es PSS. En *Apuesto por que ganarán los mejores* tenemos una PSS CRég, porque el que apuesta siempre apuesta por algo, y aquí no se expresa la razón de la apuesta. En *Apuesto, porque sé la respuesta* sí tenemos una PSAdvCausal.

Apuesto por que ganarán los mejores.	Apuesto, porque sé la respuesta.
nexo SPV SNS	NP SN CD
E PSS	nexo SPV
NP SP CRég	NP SPAdv Causal SO: Yo
SPV	SPV
O. Compuesta SO: Yo	O. Compuesta SO: Yo

2.4.3.5 PSAdv de finalidad

El nexo equivale a *para que* o a *para* más infinitivo. Otros nexos habituales: *a que, a fin de que, con el fin de que, con el propósito de que, con la intención de que*.

Cuando la preposición que precede a la proposición es *a* conviene ser prudente: antes de darla como final, asegúrate de dos cosas: de que no forma perífrasis con el verbo anterior (*Empezó a llover*) y de que no es una PSS con función de CRég (*El equipo rival nos obligó a esforzarnos*). Para que sea una PSAdvfin, *a* tiene que significar *para* y deben ser intercambiables:

He venido a que me lo cuentes.	Se tuteaban con el propósito de que todos los creyeran amigos.
SN CI SN CD NP	SN/CD NP SN PVO
nexo SPV	nexo SNS SPV
NP PSAdvFinal SO: Tú	PRec/CD NP PSAdvFinal
SPV	SPV
O. Compuesta SO: Yo	O. Compuesta SO: Ellos

He venido a que me lo cuentes equivale a *He venido para que me lo cuentes*. Cuando el verbo está conjugado, tiene que ir en subjuntivo. Como explicamos antes, estas proposiciones pueden ser analizadas como un SP CCFin que lleva dentro una PSS, pero no recomiendo ese análisis.

2.4.3.6 PSAdv de condición

El nexo equivale a *si*, pero la proposición no es PSS. Nexos más habituales: *a condición de que, en caso de que, siempre que, siempre y cuando, mientras, como, a no ser que* (equivale a *si no*), *a menos que* (equivale a *si no*).

Es muy importante que pruebes si tenemos PSS o PSAdv. *Si bebes no conduzcas* es condicional, pero *No me dijo si había bebido* es PSS. En la primera podría sustituir por *No conduzcas una cosa*, pero *una cosa* no es lo conducido; en la segunda sí puedo decir *No me dijo una cosa* y *una cosa* es lo que no fue dicho.

Es muy importante que recuerdes que las condicionales admiten tanto indicativo como subjuntivo y que a menudo tienes que cambiar un modo por otro al cambiar el nexo por *si* para que mantenga el sentido. En *Te lo daré en caso de que lo necesites* no podemos decir *Te lo daré si lo necesites*, pero sí *Te lo daré si lo necesitas*, así que es condicional. En *Lo haré a no ser que se haga tarde* no puedo decir *Lo haré si no se haga tarde*, pero sí *Lo haré si no se hace tarde*, así que es condicional. Como ves, en este caso, en lugar de sustituir por *si*, hemos sustituido por *si no*.

El nexo **como** sirve para introducir adverbiales muy distintas. En *Como sonaba demasiado lo apagué* el significado es *Lo apagué porque sonaba demasiado*: causal. En *Como suene demasiado lo apagaré* es *Si suena demasiado lo apagaré*: condicional. En *Sonaba como suena un avión*, si preguntamos *¿cómo sonaba?* comprobamos que es una modal. Ojo: si lleva acento introduce una PSS (*No sé cómo sonaba*) y si lleva antecedente una PSAdj (*Me extrañó el modo como sonaba*).

2.4.3.7 PSAdv concesivas

El nexo es *aunque*, siempre que después lleve subjuntivo, o un nexo de significado equivalente a *aunque*, y en ese caso es indiferente que lleve indicativo o subjuntivo. Los otros nexos habituales son *por más que, por mucho que, aun cuando, a pesar de que, si bien, por +adj+ que*.

Nexo aunque + indicativo = proposiciones coordinadas adversativas
Nexo aunque + subjuntivo = PSAdv concesiva
Nexo equivalente a aunque + indicativo o subjuntivo = PSAdv concesiva.

Aunque me invitó no fui es coordinada, porque *invitó* va en indicativo. *Aunque me invitara no iría* es concesiva porque *invitara* va en subjuntivo. *Por más que me invitó no fui* y *Por más que me invitara no iría* son ambas concesivas, porque el nexo equivale a *aunque* y, en ese caso, resulta indiferente el modo verbal.

Algunas gramáticas proponen sustituir *aunque* por *pero* para probar si es adversativo o concesivo. Yo no te lo recomiendo. En la oración *Aunque me invitó no fui*, adversativa, no puedo decir *Pero me invitó no fui*; es cierto que si le doy la vuelta, *No fui, pero me invitó*, es correcta, pero mis alumnos normalmente olvidan darle la vuelta, y se equivocan.

2.4.3.8 PSAdv consecutivas

Hay dos tipos. Las no intensivas o **ilativas**, son las más sencillas. Vienen introducidas por un nexo equivalente a *por tanto*. Sus nexos más habituales son: *conque, pues, luego, así que, por consiguiente, en consecuencia, de manera que, de modo que*.

Las **intensivas** tienen un problema: no salen necesariamente del predicado. Pueden salir de cualquier sintagma, porque no complementan al verbo, sino a un cuantificador que las precede: *tal, tan, tanto* y sus variantes. El nexo de las intensivas es *que*: ahí comienza la PSAdvconsec. Las consecutivas intensivas siempre son complemento del cuantificador, así que deben salir del sintagma donde éste se encuentre.

En *Es tan majo que todos lo queremos* el cuantificador sale de un SAdj. En *Apretó tanto el timbre que lo rompió* la PSAdvConsec forma un SAdv con *tanto*, que sale del SPV. En *Amasó tanto pan que no cabía en el horno* sale del SN. En *Ella corría tan rápido que nadie la alcanzaba* sale del SAdv. Para saber de qué sintagma sale hay que mirar a qué complementa el cuantificador.

Es importante que comprendamos que la proposición comienza con *que* y no con el cuantificador, porque si no al analizar *El bizcocho es tan jugoso que comimos dos trozos* nos quedaremos sin atributo y en *Compré tantos cromos que no me cabían en el bolsillo* nos quedaremos sin CD.

2.4.3.9 PSAdv comparativas

Los nexos más habituales son *más... que* (superioridad), *tan... como, tanto... como* (igualdad) y *menos... que* (inferioridad).

Las comparativas tienen la misma dificultad que las consecutivas: llevan un cuantificador que nos indica de dónde sale la proposición. Pero además se les juntan otros dos problemas.

El primero es que las hay de tres tipos y, como las de superioridad e inferioridad llevan *que*, los alumnos piensan que las de igualdad también lo llevan, así que las confunden con las consecutivas. T*anto que* expresa consecuencia y *tanto como* comparación. Si digo *En el local olía tan mal que tuvimos que salir* no comparo el olor con nada; pero si digo *En el local olía tan mal como en la pescadería* comparo el olor del local con el de la pescadería.

El otro problema es que muy habitualmente el verbo no aparece, así que me encuentro con un nexo, pero no sé a qué verbo acompaña. Cuando digo *Se han comido más arroz que sus primos mayores* sólo hay un verbo; para analizar la oración tengo que escribir *Se han comido más arroz que sus primos mayores (han comido arroz)*: lo omitido es el predicado verbal. Si encuentro *Es tan alto como tú*, debo analizar *Es tan alto como tú (eres alto)*: se ha omitido el predicado nominal. En *Vi a tanta gente en el local como en la calle*, analizo *Vi a tanta gente en el local como (yo vi a gente) en la calle*: se ha omitido el sujeto y una parte del predicado. A veces el verbo no se omite: *Juan nada mejor que corre*.

Como hay comparativos irregulares, encontrarás también *mejor... que, peor... que, mayor... que, menor... que*. *Mejor* y *peor* pueden ser adjetivos (cuando sean variables) o adverbios (cuando sean invariables): además de avisarte de que viene una comparativa, tienen la función que les corresponda.

Circula por la ciudad tan despacio como (circula despacio) por la carretera.

				NP	SAdv CCM	SP CCL
	det	N		nexo		SPV
	E	SN	SAdv CAdv	N	PSAdv Compar SO: Él	
NP	SP CCL			SAdv CCM		
SPV						
O. Compuesta SO: Él						

Tienen peor precio que los otros móviles (tienen).

		nexo	SNS	SPV
	SAdj CN	N	PSAdvCompar	
NP			SN CD	
SPV				
O. Compuesta SO: Ésos				

Está más delgado que su hermano (está delgado).

		nexo	SNS	SPN
	SAdv CAdj	N	PSAdvCompar	
Cóp			SAdj Atrib	
SPN				
O. Compuesta SO: Él				

Parecía mayor que sus hermanos (parecían mayores).

	nexo	SNS	SPN
	N	PSAdvCompar	
Cóp		SAdj Atrib	
SPN			
O. Compuesta SO: Él			

Se ha comido más arroz que sus primos mayores (han comido).

			nexo	SNS	SPV
		det	N	PSAdvCompar	
DatEf	NP			SN CD	
			SPV		
		O. Compuesta SO: Ella			

Vi en el local tanta gente como (vi gente) en la calle.

				NP	SN CD	SP CCL
	det	N		nexo	SPV	
	E	SN	det	N	PSAdvCompar SO: Yo	
NP	SP CCL			SN CD		
		SPV				
		O. Compuesta SO: Yo				

Allí estaba tan cómodo como (estaba cómodo) en su casa.

			Cóp	SAdj Atrib	SP CCL
		nexo		SPN	
	SAdv CAdj	N		PSAdvCompar SO: Él	
SAdv CCL	Cóp		SAdj Atrib		
		SPN			
		O. Compuesta SO: Él			

Vuela mejor que tú (vuelas).

	nexo SNS	SPV
	N	PSAdvCompar
NP		SAdv CCM
		SPV
	O. Compuesta SO: Él	

2.4.3.10 PSAdv con NP en forma no personal

Las formas no personales son tres. El infinitivo puede ser simple o compuesto (*comer, haber comido*). El gerundio puede ser simple o compuesto (*comiendo, habiendo comido*). El participio sólo puede ser simple (*llegado, comido, dicho, descubierto*).

Como en las adverbiales el significado del nexo nos aporta mucha información para saber de qué tipo es la proposición, y en las PSAdv con NP en forma no personal carecemos de nexo, tenemos que transformarlas en oraciones equivalentes con el nexo adecuado para averiguarlo.

El **infinitivo** puede introducir una PSS o una PSAdv, de modo que lo primero que haremos es sustituir por *una persona* o *una cosa*. Si la sustitución no es satisfactoria tenemos una adverbial y deberemos razonar qué tipo de adverbial es.

Si viene precedida por *al*, daremos *al* como nexo: normalmente éstas son de tiempo, aunque pueden ser de otro tipo. Si vienen precedidas por una preposición, será la preposición la que nos indique qué tipo de adverbial tenemos.

Oraciones como *He venido para darte un beso* puede ser analizada como PSS y como PSAdv. Ambos análisis son buenos, pero te recomiendo que la analices como PSAdv para evitarte complicaciones con correctores muy rígidos.

El infinitivo lleva SFVnp siempre y, aunque no suele aparecer, a veces lo hace.

He venido a darte un beso.

		NP SN CI	SN CD
		SPV	
	E	PSS SFVnp	
NP		SP CCFIN	
		SPV	
	O. Compuesta SO: Yo		

He venido a darte un beso.

		NP SN CI	SN CD
	E	SPV	
NP		PSAdvFinal SFVnp	
		SPV	
	O. Compuesta SO: Yo		

Al abrir la ventana se metió un abejorro.

	NP	SN CD			
E		SPV			
	PSAdvT SFVnp		PRef CD	NP	det	N
		SPV			SNS
	O. Compuesta				

Para parecer tonto, lo hizo enseguida.

	Cóp	SAdjAtrib			
E		SPN			
PSAdvConces SFVnp	SN CD	NP	SAdvCCM/T		
		SPV			
	O. Compuesta SO: Él				

Al firmar eso te comprometes a la renuncia.

	NP	SN CD			
E		SPV		E	SN
PSAdv SFVnp		NP pron		SP CRég	
		SPV Nota: PSAdvT/Fin/Causa			
	O. Compuesta SO: Tú				

Al ser sordo, no oye nada.

	Cóp	SAdjAtrib			
nexo		SPN			
PSAdvCausal SFVnp	SAdv CCneg	NP	SN CD		
		SPV			
	O. Compuesta SO: Él				

Se levantó a pesar de haberse golpeado con el techo.				
			NV vm	SP CRég
		nexo	SPV	
PRef CD	NP	PSAdvConces SFVnp		
		SPV		
		O. Compuesta SO: Él		

Lo donó con el fin de ayudar a la gente.			
		NP	SP CD
		nexo	SPV
SN CD	NP	PSAdvFinal SFVnp	
		SPV	
		O. Compuesta SO: Él	

No hay mayor desprecio que no hacer aprecio.				
			SAdv CCneg NP	SN CD
		nexo	SPV	
	SAdj CN	N	PSAdvCompar SFVnp	
SAdv CCneg NP		SN CD		
		SPV		
		O. Compuesta impers		

Lo contrataron por entregarse a su trabajo.			
		NP PRef CD	SP CI
		E	SPV
SN CD	NP	PSAdvCausal SFVnp	
		SPV	
		O. Compuesta SO: Ellos	

El **gerundio** sólo introduce PSAdv. Algunas gramáticas dicen que puede introducir PSAdj, pero estos usos son de dudosa corrección y nunca los verás en un examen.

El gerundio lleva SFVnp siempre y, aunque no suele aparecer (*Habiendo entregado el examen se marcharon*), a veces lo hace (*Habiéndose entregado todos los exámenes, se marcharon*).

Suelen ser PSAdvM, pero hay excepciones: *La pescadería está bajando la calle* es PSAdvL. Si la prueba de modo no funciona, ve probando distintos nexos hasta que encuentres uno que cuadre.

Encontré tus calcetines rebuscando entre la ropa.				
			NP	SP CCL
	det	N	SPV	
NP	SN CD		PSAdvM SFVnp	
		SPV		
		O. Compuesta SO: Yo		

Se solucionará buscando un colaborador.		
	NP	SN CD
		SPV
NP pas ref	PSAdvM SFVnp	
	SPV	
	O. Compuesta SO: Eso	

Aun teniendo razón, les negaron la entrada.				
SAdv CCafirm	NP	SN CD		
SPV			det	N
PSAdvConces SFVnp	SN CI	NP	SN CD	
		SPV		
		O. Compuesta SO: Ellos		

Estudiando así, aprobarías.	
SPV	
PSAdv SFVnp	NP
SPV Nota: PSAdvM/Cond	
O. Compuesta SO: Tú	

Estudiando así, aprobarás.	
PSAdv SFVnp	NP
SPV Nota: PSAdvM/Cond/Cau	
O. Compuesta SO: Tú	

Habiendo entregado el examen, se marcharon.		
NP	SN CD	
SPV		
PSAdvT SFVnp		NP pron
SPV		
O. Compuesta SO: Ellas		

Habiéndose entregado los exámenes, salieron.		
NP pas ref	det	N
SPV	SFVnp	
PSAdvT		NP
SPV		
O. Compuesta SO: Ellas		

El **participio** funciona como verbo cuando va en construcción absoluta y significa una acción. En *Los exámenes entregados eran excelentes*, *entregados* no implica una

49

acción de entregar y funciona sólo como adjetivo, pero sí la implica en *Entregados los exámenes, salimos*.

Cuando funciona como verbo siempre introduce PSAdv (algunos profesores consideran que los infinitivos concertados introducen PSAdj: pregunta al tuyo).

El participio tiene desinencias de género y número y por tanto sí establece concordancia con su sujeto (no lleva SFVnp). El sujeto aparece siempre y no realiza la acción, porque el participio pasado tiene valor pasivo. Pueden llevar CAg.

Llegadas las vacaciones, nos despedimos.	Repartidas las medallas por los organizadores, se terminó la competición.
SPV / SNS / PSAdvT / PRec CD / NP / SPV / O. Compuesta SO: Nosotros	NP det N SP CAg / SPV SNS SPV / PSAdvT / SPV / NV vm det N / SNS / O. Compuesta

Algunas gramáticas enseñan a analizar PSAdj sin relativo, cuyo verbo va en participio; te recomiendo que no las consideres PSAdj, sino simples SAdj y analices los elementos de su interior como complementos del adjetivo.

Las medallas repartidas por los organizadores eran de oro.	Brillaban las piedras enterradas en la arena.
Det N / N SP-C Adj / S Adj-CN / Cóp SP-Atrib / SN-Suj / SV-SPN / O. Simple	NP Det N / N SP-C Adj / S Adj-CN / SV-SPV / SN-Suj / O. Simple

2.5 Oraciones con más de dos proposiciones

En el pasado era habitual que nos mandaran analizar oraciones larguísimas llenas de complicaciones, pero la tendencia en los últimos exámenes de entrada a la universidad es que se pregunten oraciones de no más de tres verbos.

Sea cual sea el número de proposiciones, antes de analizar, hay que averiguar qué proposiciones son coordinadas y de quién, y qué proposiciones son subordinadas, de qué tipo y de quién.

Pongamos ejemplos. En *Quiero que vengas y te tomes el zumo* la proposición de *tomes* es coordinada, pero coordinada del verbo subordinado, por lo tanto es subordinada de la principal. Sin embargo en *Quiero que vengas y no me haces caso*, la proposición de *haces caso* es coordinada de la principal.

Una prueba sencilla para saber si una proposición coordinada es también subordinada de otra es comprobar si admite delante el mismo nexo subordinante que la primera subordinada. Puedo decir *Quiero que vengas y que te tomes el zumo*, pero no *Quiero que vengas y que no me haces caso*, porque en la segunda oración *No me haces caso* no es subordinada.

Quiero que vengas y te tomes el zumo.	Quiero que vengas y no me haces caso.
NP / nexo SPV / NP pron SN CD / SPV / P1 SO: Tú / nexo cop / P2 SO: Tú / NP / PSS CD / SPV / O. Compuesta SO: Yo	nexo SPV / NP PSS CD SO: Tú / SPV / P1 SO: Yo / SAdv CCneg / SN CI / NP / SPV / nexo cop / P2 SO: Tú / O. Compuesta

Cuando tenemos una subordinada hay que ver de dónde sale. Puede salir de la principal, pero también puede ser subordinada de una subordinada. En *Me gusta que me digas lo que quieres*, *Lo que quieres* es subordinada de *Que me digas*, no de *Me gusta*. En *Me gusta que me digas eso, porque es cierto*, Tanto *Que me digas eso* como *Porque es cierto* complementan a *Me gusta*.

El mejor modo de entrenarse consiste en realizar las oraciones que piden en la PAU. Vamos a analizar las que han puesto en Madrid en las pruebas modelo y en los exámenes de junio y septiembre de los últimos cursos.

```
No creo que exista ningún adolescente que no se sienta un guerrero desnudo.
                                                         det    NP    SAdj CN
                                              SAdv   NP vm      SN PVO
                                              CCneg
                                         SNS                    SPV
                                         nexo
                   NP    det     N                      PSAdj CN
         nexo  SPV                         SNS
  SAdv   NP                       PSS CD
  CCneg
                                   SPV
                       O. Compuesta SO: Yo
```

Marcamos los tres verbos: *creo*, *exista*, *sienta*. Marcamos los nexos: *que*, *que*. El verbo principal es *creo*, porque no lleva delante nexo. La primera proposición es PSS porque puedo decir *No creo una cosa*: puesto que *una cosa* es el CD en esta oración, la PSS es CD. La segunda es PSAdj porque puedo sustituir por *un adolescente el cual no se sienta*. La PSAdj sale de su antecedente, *adolescente*. Así que tenemos una principal, una subordinada y una subordinada de la subordinada. El primer *que* introduce la PSS y es una conjunción que hace de nexo, sin más. El segundo es un pronombre relativo. Para analizarlo, tenemos que sustituirlo por su antecedente: *Un adolescente no se siente un guerrero desnudo*. La prueba de concordancia demuestra que es el sujeto.

```
La única razón es que estamos más dispuestos a sacrificarnos en el deporte.
                                                  NP     PRef    SP CCL
                                                          CD
                                             E          PSS SFVnp
                                    SAdv  N             SP CAdj
                                    CAdj
                     Cóp                      SAdj Atrib
              nexo                            SPN
         Cóp              PSS Atrib SO: Nosotros
  SNS                                SPN
                       O. Compuesta
```

Marcamos los verbos: *es*, *estamos*, *sacrificar*. Marcamos los nexos: *que* introduce una PSS que complementa a un verbo copulativo como atributo. *Sacrificar* no lleva nexo porque va en infinitivo. Su proposición complementa a *dispuestos*, que es un adjetivo. Por tanto la PSS actúa como CAdj. Tenemos una subordinada dentro de la subordinada.

```
Las artes parecen un desesperado intento por imponer un sentido a nuestra vida.
                                                NP     SN CD      SP CI
                                                        SPV
                                              E       PSS SFVnp
                          det   SAdj CN    N          SP CN
  det    N    Cóp                      SN Atrib
  SNS                                  SPN
                       O. Compuesta
```

51

Las frases hechas contribuyen a instalarnos en el reino de la imagen dominante.

Las marcas se ocupan de reciclar los envases que ponen en el mercado mediante su contribución a Ecoembes.

Hablamos de un tipo de ansiedad social que dificulta la vida de muchas personas y las condena a la soledad.

No pretendemos proscribir las distracciones, pero las (distracciones) del investigador serán siempre ligeras.

Creo que lo que escondía era un acentuado sentido de la dignidad.

Veo de repente una abeja que aletea en la superficie de la balsa sin poder levantar el vuelo.

Sé que le gustaba trepar a los árboles y comer sandías en las tabernas de soldados.

				NP	SP CCL		NP	SN CD	SP CCL
				SPV 1		nexo cop	SPV 2		
	SN/CI	NP		SPV					
	nexo	SPV		PSS S SFVnp					
NP				PSS CD					
				SPV					

O. Compuesta SO: Yo

Ellos sonrieron y pusieron delante de mí libros y periódicos que apoyaban esa revelación.

								NP	SN CD
			E	SN			SNS nexo	SPV	
		NAdv	SP CAdv	N1	nexo cop	N2	PSAdj CN		
NP	NP		SAdv CCL			SN CD			
SPV 1	nexo cop		SPV 2						
SNS			SPV						

O. Compuesta

Desconfío hondamente de la aparente superioridad de los perpetuos desdeñosos que siempre barren la fama hacia casa.

								SAdv CCT	NP	SN CD	SP CCL
							SNS nexo	SPV			
				det	SAdj CN	N		PSAdj CN			
				E				SN			
		det	SAdj CN	N				SP CN			
		E						SN			
NP	SAdv CCM							SP CRég			
								SPV			

O. Compuesta SO: Yo

Cuando bajan del escenario dependen de los encargados de casting que han de seleccionarlos.

								NP	SN CD
						SNS nexo	SPV		
	NP	SP CCL		det	N	SP CN	PSAdj CN		
nexo	SPV		E			SN			
PSAdvT SO: Ellos	NP					SP CRég			
				SPV					

O. Compuesta SO: Ellos

Aquella celebérrima plazuela es el mercado central adonde van todos los utensilios y cachivaches averiados por el tiempo.

									N	SP CCAdj
				SAdv CCL	NP	det	det	N1	nexo cop	N2	SAdj CN
				SPV					SNS	
			det	N	SAdj CN			PSAdj CN		
det	SAdj CN	N	Cóp					SN Atrib		
	SNS							SPN		

O. Compuesta

Los niños pequeños son egocéntricos porque no tienen la suficiente habilidad mental para entender a otras personas.

											NP	SP CD
											SPV	
										E	PSS SFVnp	
						det	SAdj CN	N	SAdj CN	SP CN		
					SAdv CCneg	NP			SN CD			
				nexo					SPV			
det	N	SAdj CN	Cóp	SAdj Atrib				PSAdvCausa SO: Ellos				
	SNS							SPN				

O. Compuesta

```
Ahora hemos de tratar el elemento ambiental que más influye en la vida de los hombres.
                                                                    det   N      SP CN
                                                                    ─────────────────────
                                                                      E       SN
                                                               ──────────────────────────
                                                         SAdv    NP      SP CRég
                                                         CCCant
                                                         ─────────────────────────────────
                                                    SNS                SPV
                                                    nexo ─────────────────────────────────
                                    det    N    SAdjCN              PSAdj CN
                             ────────────────────────────────────────────────────────────
                  SAdv    NP                    SN CD
                  CCT
            ─────────────────────────────────────────────────────────────────────────────
                                               SPV
                              O. Compuesta SO: Nosotros
```

```
Mi amigo pensó que su interlocutor había optado por ignorar la pregunta.
                                                       NP     SN CD
                                                    ──────────────────
                                                           SPV
                                                    ──────────────────
                                                      E    PSS SFVnp
                                    det    N      NP      SP CRég
                                ────────────────────────────────────
                          nexo      SNS                SPV
                         ───────────────────────────────────────────
            det   N   NP                   PSS CD
           ─────────────────────────────────────────────────────────
              SNS                           SPV
                          O. Compuesta
```

3 Complementos oracionales

Debes analizar estos complementos fuera del sujeto y del predicado, porque no complementan al sujeto ni al verbo, sino a la proposición entera. Los complementos oracionales pueden aparecer en cualquier lugar de la oración.

Es muy habitual el **vocativo** (*Ven aquí, Pedro*), que sirve para dirigirse a alguien: siempre es SN. También existen complementos oracionales como *Ciertamente, lo ignoro, En cuanto a las fiestas, fueron las mejores, La verdad, no me interesa* que aparecen como **SAdv**, **SPrep** o **SN**. Sirven para concretar el asunto del que hablamos (*Por lo que respecta a su viaje, todo salió bien*), indican la modalidad oracional (*Indudablemente, son buenas personas*) o expresan una opinión (*Por desgracia/desgraciadamente, no se detuvo la guerra*). A veces tenemos una de estas construcciones y también un vocativo: *Francamente, querida, me importa un bledo*.

Es importante no confundir el vocativo con el sujeto. En *Jacinto, coged el coche tu hermano y tú y venid ya*, el sujeto de *coged* no es Jacinto, sino *tu hermano y tú*. En *Pedro, ven aquí*, el sujeto no es Pedro, que debemos analizar como vocativo, sino un *tú* omitido.

Para distinguir un complemento oracional de un CC debes comprobar si complementa al verbo o no. En *Sinceramente, respondí a tu hermano*, *sinceramente* es un complemento oracional, pero en *Respondí a tu hermano sinceramente* es un CCM. También son complementos oracionales las **interjecciones**. Algunas interjecciones provienen de nombres, adjetivos u otras clases de palabras: *¡Cuidado!*, *¡Bravo!* Existen grupos de palabras que se comportan como una interjección, las locuciones interjectivas: *¡Madre mía!* Pueden llevar complementos: *¡Ay de los traidores!*; *¡Caray con el pájaro!*

```
Francamente, querida, me importa un bledo.        Ay, qué dolor de muelas tengo.
                            SN    NP   S Adv-CC cant              SN-CD           NP
                            Cl                            ─────────────────────────────
─────────────────────────────────────────────     Interjec       SV-SPV
   S Adv-C Orac    Voc          SV-SPV            ─────────────────────────────────
            O. Simple SO: Eso                              O. Simple SO: Yo
```

Made in the USA
Middletown, DE
09 October 2016